# Le libre Galop des Pottoks

## Résie Pouyanne

Le libre Galop
des Pottoks

Illustrations de Catherine Lachaud

FRANCE LOISIRS
123, boulevard de Grenelle, Paris

Une édition du Club France Loisirs, Paris,
réalisée avec l'autorisation des Éditions Flammarion.

Tous droits de reproduction, de traduction et d'adaptation réservés pour tous pays.
Loi n° 49 956 du 16 juillet 1949 sur les publications destinées à la jeunesse.

© 1990, Castor Poche Flammarion
    pour le texte et l'illustration.
© France Loisirs, 1996, pour la présente édition.

ISSN : 1254-7557
ISBN : 2-7242-9157-3

## Résie Pouyanne

L'auteur est née en 1909, en Béarn, où elle habite encore, tout près du Pays basque des pottoks. Elle a toujours travaillé pour les enfants : mouvement de jeunesse, placement de petits citadins en milieu rural, rédaction d'un journal d'enfants franco-suisse, livres pédagogiques et sur la nature. Une centaine de neveux et petits-neveux l'aident à trouver sa place dans le monde enfantin.

L'histoire des pottoks est vraie dans tous ses détails. L'auteur les a suivis et observés au cours de randonnées, de bivouacs nocturnes et dans les foires. C'est parce qu'elle a eu une nourrice bas-quaise et possède encore des amis dans ce pays original et attachant que Résie Pouyanne a eu l'idée d'écrire cette histoire.

## Catherine Lachaud

L'illustratrice est née à Limoges en 1950.

« J'ai toujours eu besoin de papier pour dessiner et de livres pour lire. J'illustre des journaux et des textes pour enfants depuis bientôt dix ans. Bien que vivant beaucoup à Paris, je garde pour mon Limousin natal, dont je parcours en été champs et bois avec mes deux fils collectionneurs d'insectes, un grand attachement. »

# 1

## *Incroyable mais vrai*

— Ils sont venus !...

Pampili[1] et son père sont allés visiter la grande pièce de maïs derrière le bois de chênes. Il fallait décider du moment où l'on aurait besoin du cornpicker[2] pour la récolte. Dans le val de Lantabat où habitent les Etchegoyen, il n'y a pas un vrai village avec des maisons groupées les unes près des autres. Les fermes sont dispersées, chacune a sa source, ou presque, le val est paisible.

Caricondoa, la grande ferme des Etchegoyen, groupe ses champs, ses pâtures,

_____

1. Prénom basque. On dit aussi Pampi ou Pampilloun.
2. Énorme machine agricole qui cueille et égrène automatiquement le maïs.

ses bois et ses landes autour d'elle. Il y a longtemps que le père a capté la source et mis l'eau courante dans la maison.

Mais pour l'heure il est dans une grande colère. Le maïs était beau, cette année. Les longs épis commençaient à dorer. Et voici le portail ouvert, les tiges piétinées, les épis saccagés...

— Ils sont venus ! répète le père. Ce n'est pas croyable !

Pampili risque une question :

— Qui est venu, papa ? Les sangliers ?

— Les sangliers ! Tu vois les sangliers ouvrir une barrière, toi ? Il faut bien plus malin qu'eux.

Évidemment, Pampili ne voit pas les sangliers ouvrir la barrière ; pas plus d'ailleurs que les blaireaux, pourtant très gourmands de maïs.

— Qui, alors, papa ?

Il s'est rapproché de son père, un peu inquiet. Papa agite son makhila[1].

— Ne te mets pas dans mes jambes. Qui veux-tu que ce soit ? Les diables roux ! Eux

---

1. Canne et arme des Basques, dont le bâton creux contient un long poignard.

seuls sont capables de m'avoir joué un pareil tour. Venir de si loin ! Ils ont fait au moins vingt kilomètres et autant pour repartir.

M. Etchegoyen arpente le champ à grandes enjambées pour évaluer l'étendue du désastre. Pampili trottine derrière lui ; sa tête travaille activement : « Les diables roux ? Qui sont les diables roux ? Je vois des traces de sabots partout, sûrement les empreintes fourchues des diables ou de Basa Jaun, le seigneur sauvage. Des diables, ça c'est sûr qu'il y en a. Hier soir, grand-père en a parlé. On était tous blottis près de lui, dans l'âtre ; le vent sifflait, le feu craquait, on avait peur, on était bien. »

Grand-père racontait l'histoire de la fille d'Inhurria. Maintenant Pampili la sait par cœur, cette histoire, il pourra la raconter à ses petits-enfants quand il sera vieux. Alors, oui, justement il y a un diable. On ne dit pas s'il est roux mais c'est il y a longtemps, longtemps.
— « À la maison Inhurria on dépouille le maïs. Le domestique s'aperçoit qu'il a oublié sa pioche dans le champ. "Je donne dix sous à qui va me chercher ma pioche !" s'écrie-t-il. La petite servante déclare : "Pour dix sous, moi, j'irai chercher ta pioche."

« Elle sort. Elle est à peine dehors que le domestique, regrettant ses dix sous, commence à jurer : "Que le diable l'emporte !" Au même instant on entend un grand cri et on voit passer la jeune fille emportée dans les airs. "J'ai voulu l'argent, crie-t-elle en passant, et le diable m'a saisie." »

À cet endroit de l'histoire, Mayalen se met toujours à pleurer et grand-père se dépêche de finir :

— « Tout le monde court, les gens de la ferme et les voisins. À Larceveau ils s'arrêtent, tout essoufflés. La jeune fille est toujours emportée dans les airs. Mais en arrivant près de Mendive, elle reconnaît la chapelle Saint-Sauveur et se met à crier : "Sauveur, ayez pitié de moi !" et aussitôt elle est déposée doucement à terre, elle est sauvée ! »

Mayalen pousse un grand soupir et se mouche très fort ; Begnat trépigne et crie : « Je le tuerai, moi, ce diable ! » et Pampili échange avec grand-père un sourire pas très rassuré. Bien sûr, les diables, ça n'existe pas. Bien sûr... enfin...

Aujourd'hui, c'est le père lui-même qui en parle, des diables roux. Alors ? Pampili se rapproche de lui.

Il ne serait pas étonné de voir surgir un diable cornu, armé d'une rôtissoire. Les diables aiment peut-être comme lui les grains de maïs éclatés au feu. Cette idée le fait rire tout bas... puis il éclate, comme les grains de maïs ! Le voilà rassuré.

Papa pousse une autre série de jurons sonores pour se soulager. Avant de reprendre le chemin de la maison, il referme soigneusement le portail. Pampili se demande pourquoi, puisque les diables roux savent l'ouvrir.

Les pères ont parfois de drôles d'idées.


À la maison, papa raconte l'histoire à grand-père. Pampili n'ose pas l'interrompre, mais il se promet de parler à Mayalen et à Begnat des diables roux qu'il a presque vus.

Grand-père est très intéressé.

— De mon temps, dit-il, je les ai vus venir une fois, une seule, les diables roux, sur ce terrain. Oh, je les connais bien, moi. Quand j'étais jeune...

Grand-père rumine ses souvenirs.

— Pampili, as-tu fini ton travail pour lundi ? demande maman, qui taille le pain dans la soupière.

Chic ! Elle a fait des talhoua, ces grosses crêpes de blé et de maïs dont Pampili raffole et qu'on mange avec du jambon frit. Il en oublie les diables roux.

— Je repasserai ma leçon après souper, maman, je la sais presque.

— Oh, toi, tu la sais toujours « presque », dit Mayalen.

Elle se moque. Ses longs cheveux bruns dansent sur ses épaules, ses yeux gris sont malicieux. Mayalen a dix ans, juste un an de moins que son frère. Pampili et Mayalen se chamaillent souvent... pas plus souvent que tous les autres frères et sœurs de la terre.

— Tu as besoin de parler, madame la commandante ! Tu l'as montré, ton zéro ?

— Assez ! sinon vous restez à la maison, demain.

15

Papa est de mauvaise humeur. Il vaut mieux filer doux ; demain, il y a une grande partie de pala[1] à Saint-Palais. Personne n'a envie de manquer le match qui oppose les joueurs d'Hélette à ceux de Lantabat.

Tout le monde s'installe à table, sauf le grand-père qui demeure au chaud sur le banc de bois dans la cheminée. Son assiette est posée sur la large tablette rabattue à côté de lui.

On entend le bébé pleurer, en haut.

— Faites-le taire, celui-là ! grogne papa.

Maman se lève, met à tiédir du lait.

— Voilà son biberon, va le lui donner, Mayalen.

— Non, moi, moi ! s'écrie Begnat.

À six ans Begnat est tout rond, avec une figure toujours sale et des cheveux bouclés. Il a d'abord été jaloux de celui qui lui chipait sa place, mais maintenant il adore le petit frère.

Frère et sœur disparaissent en se disputant le biberon. Maman hausse les épaules et

---

1. Un des jeux de pelote basque, qui se joue avec une raquette de bois ou de cuir.

remplit les assiettes d'une soupe si épaisse que la louche tient debout dans la marmite. Puis elle verse du bouillon dans un bol :

— Je vais voir si amama[1] veut boire un peu.

La grand-mère, malade, repose dans la chambre voisine.

Papa avale de grandes cuillerées de soupe. Son chapella[2] en pointe sur l'œil gauche montre que l'humeur est encore à l'orage. Pampili se bourre de talhoua. En haut, le bébé s'est tu, il doit dormir. Mayalen et Begnat, revenus, mangent sans souffler mot et s'éclipsent dès que la mère dit :

— Au lit !

Pampili a le droit de rester un moment de plus. C'est l'aîné, et l'an prochain il prendra le car de ramassage pour aller en sixième à Saint-Palais.

— Grand-père, faites-moi[3] une petite place pour que j'étudie.

---

1. Diminutif affectueux pour « grand-mère ». On dit aussi « amatchi » ou « amagno ».
2. Coiffure nationale des basques qui ne la quittent que pour dormir.
3. Au Pays basque, les enfants disent « vous » à leurs parents et leurs grands-parents.

— Bien sûr, gamin. C'est quoi, ta leçon ?

— La préhistoire ; c'est ce qui est avant l'histoire, il paraît. Vous comprenez ça, vous, grand-père ? Pourquoi on ne l'a pas appelée l'avant-histoire ? Enfin c'est sur les bêtes d'autrefois, qui ont leur portrait dessiné dans les vieilles grottes comme à Isturitz. La maîtresse a dit qu'elle va nous y emmener au printemps, ce sera chouette. On a trouvé une autre grotte, mais il faut être homme-grenouille pour y aller...

Grand-père est un peu noyé par le bavardage de Pampili.

— Hé là, petit, laisse-moi respirer. Je ne suis pas homme-grenouille, moi !

— Pardon, grand-père. Mais, dites, vous les connaissez, vous, les diables roux ? Tout à l'heure vous l'avez dit.

Grand-père a pris le livre de Pampili et le regarde.

— Oh, par exemple ! dit-il. C'est un peu fort ! Elles sont sur ces pages, tes bêtes de la préhistoire ?

— Oui, oui, ce sont des chevaux d'il y a des millions d'années, vous voyez, il y a aussi des gros bœufs et des éléphants gigantesques. Mais elles n'existent plus toutes ces bêtes ;

c'est seulement des images peintes dans les grottes. Racontez-moi plutôt comment ils sont, les diables roux. Vous savez, j'ai vu la trace de leurs sabots, moi.

Grand-père éclate d'un rire énorme :

— Comment ils sont ? Tu veux savoir comment ils sont ? Eh bien, tu as leur portrait sous les yeux, leur portrait tout craché...

Grand-père brandit le livre vers son fils.

— Viens voir, Jean.

Le père s'est approché :

— Oui, c'est vrai, ce sont les mêmes, tes chevaux préhistoriques et nos diables roux basques ! Ils sont exactement pareils, ce sont nos pottoks[1] !

---

1. Prononcer « potioks ».

# 2

## À l'affût dans le vieux hêtre

Pampili se tourne et se retourne dans son lit. Lui qui s'endort d'un seul coup dès qu'il est couché, ce soir il n'arrive pas à dormir.

Il ne peut pas croire ce qu'il vient d'apprendre : il y a encore des chevaux préhistoriques au Pays basque... et il ne les a jamais vus ! De vrais chevaux robustes, râblés, le poil long et tout emmêlé, la queue traînante, la barbe au menton, l'œil malin et une grande bouche qui rit. Des chevaux tout petits et qui savent ouvrir le loquet d'une barrière !

Ces chevaux-là sont sauvages ou plutôt libres... libres comme les Basques eux-mêmes. Ils galopent là-bas sur le mont Baïgoura, sur le mont Artzamendi, toute l'année dans les landes désertes, sans maître, sans entraves... Libres !

Pampili donnerait n'importe quoi pour s'approcher d'eux. Il pense : « Demain, il y aura sûrement les cousins de grand-père au match de pala. Il me l'a dit. Ce sont des Bordegaray d'Hélette. Ils ont cinquante pottoks dans la montagne. Au moins cinquante... on ne sait pas bien. Il a de la veine, Manech Bordegaray ! Grand-père dit qu'il doit avoir à peu près mon âge, douze ans peut-être. Demain... »

Demain... les yeux de Pampili se ferment. Dans son rêve il rejoint les pottoks et chevauche un diable roux. Comme les grands, il pousse l'irrintzina[1], le sauvage cri de ralliement des Basques dans leurs montagnes, et — est-ce possible ? — son cheval tourne la tête vers lui et lui répond.

— Tu rêves, Pampi ? Active...

Non, Pampili ne rêve plus, mais il n'est pas bien sûr d'être tout à fait réveillé.

Il a fait la connaissance des Bordegaray, père et fils, à la partie de pelote. Il leur a posé

---

1. Ce cri, poussé par les bergers basques pour se héler d'une montagne à l'autre, ressemble au hennissement du cheval.

tant de questions sur les « diables roux » que Manech l'a invité à Hareguia voir les pottoks, cette fin de semaine.

— Hé, dit M. Etchegoyen, ce sont peut-être vos diables roux qui ont piétiné mes maïs !

Mais la victoire des joueurs de Lantabat l'a mis de bonne humeur. Il laisse son fils accepter et l'accompagne même pour visiter la ferme des Bordegaray.

Et voilà comment Pampili va découvrir enfin les diables roux.

Les pottoks, en liberté sur le mont Baïgoura, se cachent dans la journée au fond des ravins ou dans les grands bois. Ils se montrent surtout à l'aube et au crépuscule, près des points d'eau.

Pour être sûrs de ne pas les manquer, les garçons ont obtenu la permission de passer la nuit sur la montagne, dans une vieille grange.

— Qu'est-ce que c'est encore, cette invention ? a bougonné la mère de Manech. Vous ne pouvez pas coucher dans votre lit, comme tout le monde ?

Et elle a jeté un regard hostile à Pampili. D'où sort-il, celui-là, qui vient mettre des idées saugrenues dans la tête de son fils et lui faire perdre son temps ?

Elle a tout de même muni les garçons de couvertures, de provisions et de lampes de poche. Ils sont chaudement vêtus. La nuit sera fraîche, à six cents mètres. C'est là qu'est la vieille grange qui doit leur servir d'abri. Mais le Baïgoura monte presque jusqu'à mille mètres.

— Tu ne verras peut-être rien du tout, prévient Manech. Les pottoks sont méfiants.

Manech prend volontiers un ton supérieur. Il domine Pampili d'une bonne demi-tête et de tout ce qu'il sait. Son nez busqué le fait ressembler aux brebis basques par excellence dont il porte le nom.

Pampili ne riposte pas. Les deux garçons grimpent en silence. Les maisons blanches, encadrées de chênes, brillent tout en bas dans la plaine. Le soleil couchant dore les fougères brunes qui couvrent les collines.

— On y est, dit Manech.

Un hêtre énorme abrite une grange à demi ruinée. Il est creux et pourra facilement dissimuler les deux garçons. Ils déposent couvertures et provisions dans la grange et ressortent.

— Regarde ! dit Manech.

Non loin, un petit marécage annonce la source voisine et révèle des traces encore fraîches de sabots.

— Je le pensais. Ils viennent souvent boire par ici, c'est pour ça que je t'y ai mené. Cachons-nous ; le soir tombe, ils ne vont pas tarder.

Un oiselet chante encore dans le grand hêtre. Puis c'est le silence. Le temps paraît long.

— Écoute ! dit Pampili.

Son cœur bat très fort. Il a saisi le bras de Manech qui se dégage, impatienté.

Une sourde rumeur, puis le bruit s'amplifie, se rythme. Un galop, à n'en pas douter.

— La harde, constate Manech. Vite, à l'arbre !

Blottis dans l'arbre creux, les garçons guettent avec passion.

Les voilà enfin, ces fameux pottoks. Ils filent à travers les ajoncs, secouant leurs crinières ébouriffées. Ils sont si petits qu'ils dépassent à peine les fougères. Le premier est une jument brune un peu plus grande que les autres. Elle porte un collier de bois et une cloche.

— C'est bien les nôtres, chuchote Manech, je reconnais la cloche de la jument-guide. C'est elle, le chef. Les pottoks la suivent toujours. Quand on veut les rassembler, il faut d'abord l'attraper, elle.

Pampili n'a pas tout saisi. Il n'écoute pas, il observe de tous ses yeux. Quatre ou cinq chevaux plus petits, bien roux ceux-là, caracolent autour de la jument-guide : des poulains déjà sevrés. « Exactement l'image de mon livre. Grand-père avait raison », pense Pampili, émerveillé. D'autres arrivent encore, au petit trot, s'arrêtent pour brouter les basses branches des hêtres où subsistent quelques feuilles vertes. Leurs longues queues balaient le sol.

Manech parle très bas à l'oreille de Pampili :

— Ils n'ont plus beaucoup d'herbe fraîche, tu vois, alors ils mangent les feuilles. C'est pour cela qu'ils vont dans les champs de maïs.

Seulement nous nous méfions, nous ; on ferme mieux et on fait des rondes !

— Comment voulais-tu qu'on se méfie ? proteste Pampili, vexé.

— Moins fort, dit Manech sans répondre à sa question. En hiver, les pottoks mangent même les ajoncs, tout leur est bon. Ah, ils sont à la source !

Plusieurs chevaux boivent, mais leurs oreilles dressées prouvent qu'ils restent en alerte. Le moindre mouvement les ferait fuir.

En voici d'autres. À présent ils sont douze, non, treize. Celui-ci est tout différent. Blanc et noir avec une étoile au front. Tout petit, il cabriole autour de sa mère et sa grande bouche paraît rire.

— Un pie, dit Manech. Il est de l'année, du mois de mai, sans doute.

— Un pie ? qu'est-ce que c'est ?

— Il est de deux couleurs, comme les pies. Mon père va être content.

— Il ne l'a jamais vu ?

— Hé non, ils naissent dans la montagne, sans que personne le sache !

Après avoir bu, la harde s'est remise à brouter et se rapproche des garçons. À présent ils sont bien visibles, presque comiques avec leur gros ventre, leur pelage hirsute, leur drôle de museau court. Le petit pie s'est mis debout sur ses pattes de derrière pour jouer avec sa mère. Qu'il est joli !

— C'est une pouliche, dit Manech.

— Poïta ! murmure Pampili. Oui, c'est le nom qui lui convient, ce nom qui veut dire « jolie » !

S'il pouvait s'avancer, la caresser. Il l'aime déjà.

Sans réfléchir il est sorti de sa cachette, et c'est comme un signal. La jument brune hennit en prenant la fuite. Un bruit précipité de sabots... il n'y a plus rien ! Les pottoks se sont fondus dans le brouillard qui monte de la vallée et commence à voiler les sommets.

Pampili reste pétrifié. Quel malheur ! Ils sont tous partis, les petits chevaux libres. Par sa faute à lui. S'il avait su, il n'aurait pas bougé. « Imbécile, bougre d'idiot ! » Il s'injurie tout bas.

Manech n'est pas content, lui non plus.

— Quand je pense que j'ai pris la peine de t'amener jusqu'ici ! Et maintenant tu peux toujours courir, ils ne t'attendront pas...

Un long hennissement, profond et grave, retentit au loin.

— L'étalon, dit Manech, le père de tous les poulains. Il vient visiter la harde. Il en a plusieurs et va de l'une à l'autre. On ne l'aperçoit pas souvent et il ne fait pas bon le rencontrer. Il a décoché un terrible coup de pied à mon père qui voulait le marquer.

— On les marque ?

Pampili est presque choqué.

— Bien sûr, à l'oreille. On leur fait une petite encoche dont la forme fait reconnaître le propriétaire. Viens manger, puis on se couchera. Pour ce soir c'est fini. Ils ne reviendront pas. Demain matin, peut-être.

# 3

## La foudre est tombée !

Les garçons, roulés dans leurs couvertures, ne dorment pas encore.

Il fait étrangement lourd. Un éclair... un grondement étouffé au loin. Manech se redresse à moitié, écoute.

— Un orage ? C'est pourtant rare en cette saison. Les pottoks vont avoir peur. Ils ne craignent pas grand-chose, mais le tonnerre... ils ne l'aiment pas.

— Que font-ils quand l'orage éclate ? demande Pampili.

— Ils redescendent des hauteurs où les éclairs et le tonnerre sont les plus effrayants. Les plus vieux ont davantage l'habitude ; ils mettent leur tête contre un rocher, ils essaient de s'abriter et tournent le dos à la tempête. Mais les jeunes s'égaillent à droite

31

et à gauche et quelquefois ils abandonnent la harde, ou bien ils font une chute et se cassent une patte. Ils sont paniqués. Écoute... ils reviennent !

C'est vrai. On entend une galopade et de brefs hennissements de bêtes affolées. Pampi pense à Poïta — c'est ainsi qu'il appelle en secret la petite jument pie. Si jeune, elle doit avoir très peur !

Les deux garçons sortent sur le seuil de la grange. À droite, de hauts rochers couverts de bruyères les dominent. Sans doute les pottoks ont-ils l'habitude d'aller se réfugier là. Ils savent que les rochers sont plus sûrs que les arbres. On perçoit des piétinements, des souffles précipités.

Soudain, il se met à pleuvoir ; le tonnerre et l'éclair éclatent simultanément. La foudre est tombée tout près !

Les garçons entrevoient alors Poïta qui s'enfuit, folle de terreur. Elle galope au hasard, accrochant son poil aux ronces, et pousse des hennissements déchirants. Elle a perdu sa mère.

— Au ravin ! crie Manech.

Sans s'expliquer davantage, ils ont saisi leurs lampes et se sont précipités dehors. Si

la petite pouliche dégringole dans le ravin, elle est perdue. Elle se brisera une patte ou l'échine et sera la proie des renards, sinon des vautours.

Oh, non ! Pas ça, pas elle !

Les garçons courent, courent de toutes leurs forces, il faut rattraper Poïta à temps. Mais c'est à croire qu'elle a des ailes, et les broussailles ralentissent les enfants.

L'orage diminue de violence et bientôt la pluie cesse. Peut-être Poïta va-t-elle se calmer aussi ?

Hélas ! Un hennissement aigu, puis un bruit de chute ne laissent guère d'espoir aux garçons. Arrêtés au bord du ravin, ils cherchent en s'aidant de leurs lampes la trace de la pouliche.

— Là ! dit Manech.

Les arbustes sont cassés. Trois mètres plus bas, le pottok est couché ; il essaie encore de ruer faiblement. Heureusement les branchages le gênent. Manech et Pampili descendent prudemment jusqu'à lui.

— Gare aux coups de pied ! prévient Manech.

Pampili s'est accroupi près de la tête de Poïta. Il lui parle doucement, la caresse, et peu à peu elle s'apaise ; ses yeux intelligents paraissent comprendre qu'elle a affaire à des amis.

Elle halète faiblement. Est-elle blessée ? C'est difficile de se rendre compte. Elle ne tente plus de se lever, ni même de ruer.

Que faire ? Malgré sa petite taille elle est beaucoup trop lourde pour que les garçons la sortent du ravin.

Là-haut la harde reprend son galop. Une des bêtes est demeurée en arrière, elle hennit plaintivement plusieurs fois.

— La mère ! dit Manech.

Mais Poïta n'a pas la force de répondre et l'autre finit par s'éloigner.

— On va bivouaquer ici, décide Manech. On ne peut pas la laisser seule. Je vais chercher les couvertures.

Avec les couvertures il apporte une brassée de fougères sèches prises dans la grange, et la bouteille de lait prévue pour leur petit déjeuner et enveloppée dans un torchon.

— On va la bouchonner ; si sa mère était là elle la lècherait pour la sécher. Tiens, fais un tapon avec les fougères et frotte-lui le dos. Je vais lui frictionner le ventre... Aïe ! elle a une entaille au cou, ça saigne. Tiens-lui la tête, je vais tamponner avec le torchon.

La plaie, superficielle, cesse bientôt de saigner.

— Pourvu qu'elle n'ait pas une jambe cassée ! dit Pampili.

— Je ne crois pas, heureusement. Voyons si elle veut boire.

Pampili tient toujours Poïta. Manech essaie d'introduire le goulot de la bouteille dans la bouche de la pouliche, mais celle-ci secoue violemment la tête et crache dans toutes les directions. Pampi est couvert de lait gluant ; la bouteille roule à terre et se vide avec un glou-glou ironique. Manech est furieux.

— Zut alors, tout le lait est perdu... Quelle imbécile, cette bête !

— Si tu crois qu'elle a l'habitude de prendre le biberon ! dit Pampili. L'imbécile c'est toi, voilà tout. On n'a pas idée de faire boire un cheval à la bouteille !

— Bon, d'accord. On ne va pas se bagarrer, non ? Ce n'est pas le moment, regarde...

Poïta tremble.

— Oh ! là là ! Elle est sûrement malade. Qu'est-ce qu'on va faire, dis ?

Les deux garçons se dévisagent. Ils ont très peur mais ne veulent pas le montrer. Manech serre les dents ; surtout, ne pas flancher. Il pousse rudement Pampili.

— Allez, grouille-toi. Ne reste pas là, comme une limace. On va la réchauffer avec une couverture. Et puis il faut l'entraver pour qu'elle ne se blesse pas.

Il a pris son couteau et fend adroitement une branche jusqu'au deux tiers de sa longueur ; il procède de même avec trois autres branches. Pampili frictionne la petite jument et lui parle doucement.

— Arrête tes messes basses. Tiens-lui un pied.

Les sabots successivement enfilés dans les branchettes, l'animal ne peut plus guère bouger. Il se recouche, résigné. Ouf ! Manech le couvre soigneusement.

— Et puis ? demande Pampili.

Que va décider Manech ? Pampili craint de deviner.

— Écoute-moi bien, dit Manech avec solennité. Ce n'est pas le moment de faiblir. Alors...

# 4

## Longue nuit sur le Baïgoura

— ... Alors, toi, tu t'enroules dans l'autre couverture et tu m'attends ici. Moi, je vais descendre chercher le père.

— Ah non ! crie Pampili. Tu ne vas pas nous laisser seuls ?

Il n'en peut plus, il éclate en sanglots bruyants. L'orage gronde encore faiblement, et qui sait ce qui se cache dans les rochers ? On entend des bruits confus, un glapissement étouffé. Une forme blanche vole devant eux.

— Un fantôme !

Les garçons, serrés contre le pottok, se couvrent les yeux pour ne pas voir. Manech relève la tête le premier.

— Je crois que c'était une chouette, dit-il.

Mais sa voix tremble un peu.

— Bon, ajoute-t-il, on va rester tous les deux. C'est vrai que le père dit toujours : « En montagne, jamais seul. »

— On s'enroule ensemble dans la couverture, déclare Pampi, s'apercevant soudain qu'ils sont trempés eux aussi. On aura plus chaud. C'est qu'il fait drôlement froid, hein ?

Il claque des dents mais ne pleure plus. La petite jument s'est calmée. Les garçons pourraient aller se mettre à l'abri dans la grange, loin des arbres qui s'égouttent sur eux. Mais ils ne veulent pas s'éloigner.

— Essayons de dormir, suggère Manech.

— On dit qu'il faut compter des moutons.

Long silence.


— J'ai compté six cent quatre-vingt-treize moutons, annonce Pampili d'un ton lamentable. Ça ne me fait pas dormir du tout.

— Moi je commençais, tu m'as réveillé. Tant pis, il faut passer la nuit, on va se raconter des histoires. Tu la connais, celle du Basa Jaun ?

— Je ne sais pas. Vas-y, je verrai bien.

— C'est le cavalier sauvage de la forêt d'Iraty. Il habite sous la terre, dans une caverne et il garde un trésor : un chandelier en or pur.

— En vrai or ?

— Oui. Quelquefois il sort la nuit pour rapporter des bêtes ou des gens à dévorer, et sa femme garde le chandelier.

— C'est un ogre, alors ?

— Oui, mais ne m'interromps pas tout le temps. Un berger a entendu parler du trésor ; il réussit à entrer dans la caverne et à s'en emparer. Le voilà qui court à toutes jambes vers la chapelle Saint-Sauveur. Mais il entend un bruit terrible : des arbres renversés, des rugissements affreux... C'est le Basa Jaun, fou de colère, qui veut reprendre son bien.

— Oh, dis donc... et alors ?

— Et alors le berger a pu arriver tout juste à la chapelle, il y dépose vite son trésor et il s'enfuit. Et le Basa Jaun est obligé de l'y laisser. Et le chandelier est pour Dieu. Voilà.

— Bien fait ! Mais dis donc, elle fait drôlement peur, ton histoire. Écoute...

De vagues galops, des ricanements aussi leur parviennent. Les garçons tirent la couverture sur leurs têtes.

— Si on chantait, plutôt ? propose Pampili à voix étouffée.

Cette nuit n'en finira donc jamais ? Poïta gémit, elle souffre sûrement. Pampili entonne bravement le vieux chant des carlistes basques :

— *Ay, ay, ay, muthila, chapella gorria...*

— Toi, avec ton béret rouge... Chez moi il est vert, le béret.

— Moi j'aime mieux rouge !

— Moi, vert !

— Rouge... vert... rouge... vert... laisse-moi parler, porc du diable !

— Et toi-même, voyou, salaud, satan cornu !

Les garçons, énervés, se battent à coups de poing. Ils roulent à terre, s'embarrassent dans la couverture mouillée, s'envoient des coups de pied. Ça réchauffe, de se bagarrer. Soudain, Manech se dégage d'un bond. L'aube commence à blanchir le ciel. Les fantômes et les bruits terrifiants s'éloignent.

— Il fait jour, je descends. Tu nous attends ici, hein ?

Pampili demeure seul. Poïta s'agite beaucoup, elle tousse aussi par moments et la plaie saigne de nouveau. Il faut la soigner convenablement. Si elle allait mourir ? Pampili se sent pris de panique. La pouliche le regarde d'un air de reproche et geint.

Oh, que c'est long ! Est-ce que la camionnette de M. Bordegaray va pouvoir monter ?

L'orage a dû encore raviner le chemin, déjà plein d'énormes trous.

Un bruit de moteur fait sursauter Pampili. La camionnette. Enfin ! Elle a suivi les chemins des troupeaux, ces chemins d'herbe rase qui serpentent à travers la fougère ; c'est plus long, mais plus facile. Un chien poilu, oreilles dressées, cheveux dans les yeux, tourne autour de la voiture en aboyant.

— Nous voilà, bas les pattes, Patou.

Manech saute à terre et rejoint son camarade. Son père et son grand frère Jean-Baptiste sont vite auprès du pottok qu'ils examinent soigneusement. Le chien est renvoyé d'une tape bien appliquée.

— Rien de cassé, dit M. Bordegaray, la plaie n'est pas méchante, mais cette toux est ennuyeuse. Il faut le montrer au vétérinaire.

— Encore une chance que vous vous soyez trouvés là, les garçons, remarque Jean-Baptiste. On va essayer de le mettre sur ses jambes.

Délivrée de ses entraves et remise debout, la pouliche consent à avancer vers la sortie du ravin ; puis, tirée et poussée, elle entre dans la camionnette. Le bruit du moteur la terrorise. Pampili se glisse adroitement près d'elle et serre sa tête dans ses bras. La pouliche se calme. En route.

Le chien, très excité, n'arrête pas ses allées et venues. Il précède la voiture et raconte à tout le monde ce qui s'est passé sur le Baïgoura !

À la ferme, Pampili se voit accueilli comme un héros par les frères et sœurs de Manech. Gratiane surtout le considère avec envie. Elle regrette tant que sa mère ne lui permette pas de suivre les garçons ! Ses yeux bleus, si doux d'ordinaire, deviennent presque violets quand on la contrarie. Manech tire ses cheveux, couleur de maïs mûr.

— Alors, Gratiane, tu vas user Pampili si tu le regardes trop !

Gratiane rougit et cherche la riposte. Mais « les petits », comme on appelle Maïder et Isker — huit et six ans —, trépignent déjà.

— On veut voir la petite jument, on veut la voir. Montre-la-nous, Jean-Baptiste.

— Pas question, dit fermement leur père, vous lui feriez peur, elle n'a jamais vu d'homme jusqu'à présent.

Isker est assez flatté d'être traité d'homme, mais Maïder ne s'avoue pas vaincue.

— Alors quand ? Alors quand ? glapit-elle, au bord des larmes.

— Demain, peut-être.

— Demain ou à la saint-glinglin ! ajoute Jean-Baptiste, moqueur.

Pendant ce temps, Manech et Pampili, vêtus de jeans et de chandails secs, font honneur à un solide déjeuner à la fourchette : cuisse de canard, frites aux piments et café au lait bouillant.

— Ça va mieux ! s'exclame Manech qui bâille sans vergogne.

— Si vous alliez dormir un peu ? propose la mère.

Ah, non ! Ils veulent voir le vétérinaire à qui on a téléphoné. Il était déjà parti mais il a pu être prévenu par la radio installée dans sa voiture. Il ne va sûrement pas tarder.

Le voilà ! Les garçons courent vers lui.

Heureusement, il est rassurant. Il savonne la plaie, fait une piqûre de pénicilline et donne une potion à administrer deux fois par jour. Il conseille aussi de garder Poïta à la ferme pour l'hiver afin de surveiller ses bronches.

L'examen des dents montre que la pouliche est assez grande pour se passer de sa mère. Elle doit savoir brouter.

Pampili pousse Manech du coude :

— Tu n'auras plus besoin de lui préparer des biberons ! souffle-t-il.

Manech fait semblant de ne pas entendre.

Le vétérinaire félicite les garçons :

— Une aussi jolie petite pie, cela aurait été dommage qu'elle meure. Vous lui avez sauvé la vie.

Les garçons se redressent. Ils ont l'impression d'avoir grandi tout à coup. Sauver une vie, ce n'est pas rien.

Le vétérinaire connaît tout le monde, dans le pays.

— Je te ramène chez toi, si tu veux, dit-il à Pampili. Je dois justement aller à Lantabat vacciner des bêtes.

Pampili accepte ; il est pressé de raconter son aventure au grand-père.

— Reviens aussi souvent que tu voudras, dit M. Bordegaray. Après la nuit que tu as passée au Baïgoura, la maison est tienne, désormais.

# 5

## *Le trésor de Pampili*

L'habitude est prise. Presque tous les mardis soir maintenant, Pampili va chez Manech, à Hélette. Comment Poïta pourrait-elle se passer de Pampili ? Sans doute vaudrait-il mieux dire : comment Pampili pourrait-il se passer de Poïta ?

Poïta ne reste pas à l'écurie, cet hiver. Ce serait une trop grosse épreuve pour une jeune pottok libre. Elle partage un vaste enclos avec un troupeau de brebis au milieu desquelles elle s'amuse à semer la panique.

Rien de plus drôle que de la voir foncer depuis le bout du pré sur une paisible brebis qui fuit, épouvantée. Toutes les autres brebis se rallient à ses bêlements indignés, et courent derrière la fuyarde, poursuivies par la fougueuse pouliche.

— Elle les rassemble aussi bien que le chien ! dit Pampili avec admiration.

Patou, très vexé, fonce à son tour sur le troupeau et le mène à l'autre bout du pré. Puis il revient s'asseoir, haletant, aux pieds de Manech, penche la tête et paraît dire : « Hein, tu vois ? » Son regard vif est implorant.

— Oui, oui, mon vieux, tu pourras faire le concours des chiens de berger ! admet Manech.

— Et Poïta, donc ! ajoute Pampili. Elle en aurait, du succès !

Pourtant, l'autre jour, Poïta a commis une erreur. Elle s'est attaquée au bélier, qui a riposté, son dur front cornu en avant et, cette fois, c'est la pouliche qui s'est sauvée. Depuis, elle fait très attention de ne plus croiser le chemin du bélier à mauvais caractère. Une seule expérience lui a suffi.

— Elle est si intelligente ! constate Pampili.

Gratiane s'est prise, elle aussi, de passion pour la petite jument. Quand Pampili arrive, bien sûr, elle lui cède la place. Mais quand il repart, c'est elle qui va caresser Poïta. Elle a la meilleure part puisqu'elle peut s'amuser tous les jours avec la pouliche, qui adore le jeu. « La veinarde ! » pense Pampili, et il regarde Gratiane un peu de travers.

Pourtant, c'est curieux, Poïta marque une préférence pour Pampili. On dirait qu'elle se souvient des moments en tête à tête au Baïgoura. Dès que Pampili se montre au bout du pré, Poïta fonce sur lui comme sur les brebis. Mais ce n'est pas une vraie attaque, et Pampili l'attend de pied ferme.

Elle le bouscule un peu, fourre son museau dans la poche de son anorak, à la recherche du morceau de sucre dont elle est devenue friande.

Puis elle se fait caresser. Quand Pampili est sûr que personne ne le voit, il pose un petit baiser sur l'étoile blanche.

— C'est Izarra (étoile) que tu devrais l'appeler, remarque Manech.

Mais Pampili refuse.

— Ma Poïta, ma jolie, mon trésor ! dit-il très bas.

Et Poïta encense, saluant de la tête comme pour approuver. Son nom lui plaît, c'est sûr.

Elle en a vite assez de rester tranquille et veut jouer. Gratiane, Maïder et Isker accourent au pré quand Pampili est là. Et ce sont de grandes parties d'attrapés et... de saute-cheval ! Poïta n'est guère plus haute qu'une brebis, elle laisse les enfants prendre légèrement appui sur son dos pour sauter. Elle a même compris le jeu de chat perché et s'arrête net quand les enfants grimpent sur la barrière.

— Quels gosses ! dit Manech, qui fait l'homme et suit son père.

Il l'aide à refaire les litières de fougères dans les bergeries.

Car l'agnelage a commencé. À Caricondoa comme à Mareguia, les hommes doivent se lever, la nuit, pour surveiller les naissances.

Les mères lèchent leurs nouveau-nés ; ils sont vite debout et bêlent d'une toute petite voix grêle, presque un miaulement. Parfois, un agneau est piétiné par le troupeau, ou bien il se présente mal et il faut l'aider à sortir du ventre de la brebis.

Les enfants vont tous les matins, avant de partir pour l'école, voir les nouveau-nés si drôles sur leurs pattes minces. On les isole dans un coin avec leurs mères. Bien vite, ils tètent goulûment, puis suivent le troupeau dans le pré.

Poïta vient les flairer d'un air dégoûté. Elle a l'air de dire : « Encore un ! Tous ces bébés empêchent leurs mères de jouer avec moi ! Ras le bol... »

Heureusement les enfants, eux, n'en ont jamais assez de jouer avec Poïta. Pampili a imaginé de lui apprendre à donner la patte comme un petit chien, et à faire la belle ! Tout cela, à grand renfort de croûtons de pain.

— On s'amuse drôlement avec cette Poïta ! s'écrie Maïder, essoufflée tellement elle a ri.

Maman gronde un peu :

— Vous perdez tout votre temps avec votre bête ! Et Isker s'est enrhumé ! Rentrez tout de suite.

Elle regarde Pampili et grommelle :

— On n'a pas idée ! Un cheval n'est pas un chien. Depuis que ce Pampili a commencé à mettre les pieds ici, tout va de travers. Maïder et surtout Gratiane ne m'aident plus quand il est là.

— Laisse faire, laisse, dit le père. J'ai mon idée.

Quelle peut bien être l'idée de M. Bordegaray ? Il la garde pour lui pour l'instant.

Et l'heureux Pampili garde son trésor.

# 6

## Au volant du tracteur

Pampili est dans le pré. Il flâne tandis que Poïta joue avec les brebis.

— Tu viens ? crie Manech ; on va au bois, le père a besoin de nous.

Pampili ne se fait pas prier et les deux garçons grimpent sur le tracteur qui ronronne dans la cour depuis un moment. La tronçonneuse est chargée dans la remorque.

— Laissez-moi conduire, papa, dit Manech.

Le père se pousse et Manech prend le volant. Il conduit prudemment dans le chemin boueux et glissant, évitant les trous les plus profonds. Pampili est un peu jaloux. Mais M. Bordegaray doit avoir des yeux derrière la tête car il devine, sans même se retourner.

— À Pampili maintenant, dit-il.

Manech bougonne :

— Il conduira au retour.

— Non pas, dit le père. Au retour le tracteur sera bien trop chargé. Il faudra une poigne d'homme et je ne confierai le volant à aucun de vous.

Pampili se glisse à la place de son copain qui marmonne :

— Pouvait pas rester chez lui, celui-là. Toujours fourré chez nous, à présent...

Le père cligne de l'œil vers Pampili qui fait la sourde oreille. Mais il est devenu tout rouge. Après tout, c'est Manech qui l'a appelé. Personne ne dit plus mot. Le tracteur dérape et fait une embardée.

— Hé là ! Il faut tenir le volant plus serré et regarder en avant ! dit le père.

Il a repris fermement le volant en main. Manech ricane longuement. Pampili est horriblement vexé :

— Ce n'est pas ma faute ! Je ne pouvais pas deviner qu'il y avait ce grand trou après le tournant. Quand je l'ai vu, c'était trop tard...

Pas la peine de discuter. Le tracteur s'arrête, on est arrivé près du taillis le long de la rivière.

Au travail. Le père descend la tronçonneuse qui ronfle bientôt bruyamment. Il taille ras les vergnes qui bordent cet affluent de la Nive.

Les garçons les ébranchent avec des hachettes. Ils ne se parlent pas ; malgré le froid, ils ôtent leurs anoraks qui les gênent pour travailler.

— Je reviens ! crie le père. Continuez !

Il a stoppé la tronçonneuse et disparaît dans le taillis. Les garçons posent leurs hachettes et s'approchent du torrent.

— Regarde, chuchote Manech. Le rond de la grosse truite, je parie qu'elle est là. Ah ! si je pouvais l'attraper !

Un léger remous prouve qu'il a sans doute raison. Tous les ans on « la » pêche ici même, et tous les ans « elle » revient. Enfin une autre, bien sûr.

— Oui, mais tu sais, si les braconniers empoisonnent la rivière avec leur eau de Javel, c'est fichu.

Manech ne pense plus qu'à sa truite, il se penche dangereusement. Pampili est encore plein de rancune. Ah ! Manech s'est payé sa tête tout à l'heure. Tiens, il va voir !

— Va la chercher, ta truite !

Une poussée vigoureuse. Plouf !

Manech se débat et suffoque dans l'eau glacée qui tourbillonne autour de lui.

Pampili se tord de rire.

— Alors, tu la ramènes, oui, cette truite ?

Manech ne répond pas, et pour cause. Il boit la tasse. Un peu inquiet tout de même, Pampili s'accroche à un arbre incliné au-dessus de l'eau et tend la main. Il parvient à saisir Manech par son col. Manech se cramponne à une branche. Puis tout casse ! Les deux garçons dégringolent, le courant les entraîne... et va les déposer plus bas, sur une jolie petite plage de sable fin.

Ils se relèvent, dégoulinants et pas fiers. Ils claquent des dents. À ce moment ils s'entendent héler.

— Où êtes-vous passés, les gars ? crie le père. Alors, on ne peut pas vous laisser seuls une minute ? Qu'est-ce que vous fabriquez ?

Les garçons vident leurs bottes, puis ils enlèvent leurs tricots trempés pour les tordre. Ils grelottent.

— On arrive, papa !

— Mais visez-moi ces épouvantails ! Quelle bêtise avez-vous encore imaginée ?

Papa éclate de rire. Il paraît de très bonne humeur, allez savoir pourquoi. Manech est soulagé.

— Heu... on voulait vérifier si la truite était là, tu sais, la grosse... Alors on a glissé et on est tombés.

58

Il n'en dit pas plus, Pampili respire ; il est quand même chic, le copain !

— Tous les deux à la fois ? demande le père d'un air soupçonneux.

— Oui, oui, tous les deux à la fois ! répondent un peu trop en même temps les deux garçons.

— Je vous en donnerai, moi, des truites. Une bonne raclée, oui, pour vous sécher les côtes.

Heureusement, le père crie très fort mais il n'est pas féroce et ne brandit que pour rire son makhila. Il a tôt fait d'allumer un grand feu de branchages et de fougères dont les flammes montent vite.

— Séchez-vous pendant que je charge le tracteur. Si la mère vous voit dans cet état, elle ne sera pas ravie !

Bientôt les garçons gambadent tout nus devant le grand feu. Puis, tandis qu'ils se rhabillent, enfilant avec une grimace leurs vêtements encore humides, Pampili aperçoit le père de son copain glisser un colis sous le siège du tracteur. Il est intrigué mais n'ose pas poser de questions.

— Grimpez ! crie le père.

Juchés sur les branches dans un équilibre instable, les deux garçons se taisent. C'est seulement lorsqu'on est en vue de la maison que Manech desserre les dents :

— Je n'ai pas voulu moucharder. Mais je te préviens : tu ne l'emporteras pas au paradis, c'est moi qui te le dis.

Il est rancunier, Pampili le sait. Et il peut être violent, aussi. Que faire ?

C'est l'heure du départ, le camion du lait ne va pas tarder et il chargera Pampili en même temps que les grands bidons. Manech a disparu après avoir reçu de sa mère quelques gifles sonores qui n'ont pas amélioré son humeur. Les vêtements encore humides parlaient avec éloquence !

Pampili va dire au revoir à Poïta, mais elle galope et rue de tous les côtés ; elle n'est pas d'humeur tendre, aujourd'hui.

— Tu es triste ? demande Gratiane qui observe Pampili.

— Bof !

— Tu t'es disputé avec Manech, je parie.

— Bof ! Ce n'est rien du tout, on s'est un peu bagarrés, quoi. Pas la peine d'en parler.

Gratiane n'insiste pas. Pampili se rapproche :

— Écoute, peut-être que la semaine prochaine je ne pourrai pas venir. Oui, je crois que ma mère veut m'emmener à Saint-Palais pour acheter des souliers, tu comprends ?

— Bien sûr ! dit Gratiane qui comprend très bien.

Car Manech, encore furieux, lui a raconté l'histoire du plongeon et ses projets de vengeance. « Pas un mot aux parents, a-t-il conclu, mais il fera bien de ne plus remettre les pieds ici, celui-là. Sinon, il lui en cuira drôlement ! »

Que va faire Pampili ? Gratiane voit bien qu'il a peur.

— Bon, alors si je ne viens pas, tu t'occuperas de Poïta, hein ? Elle a tellement l'habitude de me voir tous les mercredis !

— D'ac. Tu peux compter sur moi. D'ailleurs tu sais, elle m'aime bien. Je la vois tous les jours, et... je suis de la maison, moi !

Gratiane est un peu vexée, ses yeux foncent et prennent des lueurs d'orage. Quelle famille !

Pampili se retient pour ne pas hausser les épaules. Naturellement, Poïta aime tout le monde. Mais c'est lui qu'elle préfère, depuis la nuit du Baïgoura. Et elle le préférera toujours.

# 7

## La vengeance de Manech

Eh bien, voilà : Pampili n'a pas osé revenir à Hélette. Il craint la vengeance de Manech.

Le mercredi se traîne péniblement. Bien sûr l'histoire de l'achat des souliers était une invention. Maman est trop occupée avec la cuisine du cochon pour aller en ville aujourd'hui. Ce n'est même pas jour de marché !

— Tiens, tu es là aujourd'hui, qu'est-ce qui se passe ? demande grand-père. Et ton petit cheval, alors, tu l'abandonnes ?

— Mon cheval... mon cheval... D'abord, il n'est même pas à moi !

— Enfin, c'est tout comme, dit grand-père, conciliant. Tu sais, moi, j'y remonterais volontiers sur ce Baïgoura où tu l'as trouvé.

— Vous la connaissez, cette montagne, grand-père ?

— Et comment ! Je suis né à Bidarray, c'est juste derrière le Baïgoura, près de l'Espagne. Et puis, j'ai quitté chez moi pour me marier ; amama était l'héritière ici et je suis entré gendre.

Il a un regard vers amama, assise près du feu.

— Tu te souviens ? Moi aussi je faisais comme les pottoks ; je courais la montagne, les soirs d'été, pour venir te faire ma cour. J'en ai ouvert et refermé des barrières !... et franchi, des pas-cédés[1].

Amama sourit et son visage paraît si jeune, soudain. Elle est bien fatiguée, ces temps-ci. Comme elle est petite, tout à coup. C'est vrai qu'elle a tant travaillé ! Sept enfants à élever, aider aux champs, le ménage... et ces lourdes bassines de soupe à préparer pour les cochons !

Amama soupire. Les jeunes ont de la chance : la salle d'eau, la machine à laver, le congélateur... Bien sûr que ça coûte toutes ces machines. Mais la vie est moins dure pour les femmes.

---

1. Petite échelle qui permet de passer d'un enclos à un autre, quand on ne peut pas ouvrir la barrière.

Grand-père s'est levé. Il va tailler la vigne. Il prend son sécateur et sort avec le chien.

Pampili le suit. Que faire d'autre ?

— Je m'ennuie ! dit-il.

— Tu veux mon sécateur ?

Grand-père se moque. Pampili ne sait pas tailler la vigne. Il se contente de ramasser les sarments qui tombent sous les coups réguliers du sécateur et de les mettre en petits fagots au bout de chaque rangée de ceps. Rien de meilleur pour faire griller le mouton.

L'idée du mouton le ramène à Poïta. Ô ma jolie, qu'est-ce que tu fais sans moi ? Est-ce que tu t'ennuies, seule avec ces idiotes de brebis et cette Gratiane qui croit que tu la préfères ?

Pampili a le cafard.

Amama est partie. Le docteur est venu. Il a secoué la tête. « C'est une petite lumière qui va s'éteindre », a-t-il dit.

Le guérisseur est venu aussi. Il a posé ses doigts sensibles sur le front d'amama. Et puis il a ôté son béret.

— Elle est fatiguée de vivre. Laissez-la se retirer.

Amama est partie à la fin de la nuit. La lune brillait encore, éclairant ce départ paisible. Grand-père est allé le dire aux abeilles qui bourdonnent doucement dans la ruche. Les abeilles ont bourdonné plus fort. Il est passé à l'étable pour le dire aux vaches et au vieux cheval.

Le chien de grand-père ne le quitte pas. Il se frotte à lui, pousse son museau dans sa main, gémit ; il veut consoler son maître.

Amama est partie. Le long cortège silencieux marche derrière elle dans le chemin creux où les premières violettes fleurissent. Dans les prés les brebis bêlent plaintivement au passage du cercueil. Tous les proches, mais aussi les gens des fermes lointaines, sont venus. Le grand-père, trop fatigué, est resté à la maison. M. Bordegaray est là avec Manech.

Pampili marche en tête avec son père, les oncles et le premier voisin. Puis tous les hommes, puis les femmes. En haut de la colline la cloche de l'église tinte lentement.

Amama est partie. Tous ceux qui l'aimaient l'ont accompagnée. Ils ont chanté le beau chant de l'adieu ; les voix des hommes étaient si puissantes et belles qu'on entendait à peine celles des femmes.

Pour tous le travail a cessé, malgré le soleil qui invitait à fumer la terre.

Maintenant chacun a murmuré sa sympathie, à grand-père d'abord. Avant de s'en retourner, on mange lentement le pain et le fromage, on boit du vin. Ce n'est pas un festin ; les voisines s'occupent de tout, les femmes de la maison se laissent servir.

Pampili a la gorge serrée. Jamais il n'oubliera amama, si petite, si douce, qui l'appelait encore Pampilloun, de son nom de bébé.

— On ne te voit plus, petit, a dit M. Bordegaray. Ton pottok s'ennuie sans toi.

Le cœur de Pampili bat très fort. Ton pottok, il a dit *ton* pottok.

Manech s'approche à son tour.

— C'est vrai, tu sais, Poïta ne joue plus comme avant. C'est parce que ta grand-mère était malade que tu ne venais plus ?

Pampili ne répond pas. Il n'en croit pas ses oreilles. Manech n'a pas pu oublier le plongeon dans la rivière, la vengeance promise...

Pourtant il faut bien le croire : Manech a oublié... ou alors il a pardonné. Il donne une bourrade amicale à Pampili.

— À mardi soir, hein ? Sans faute.

Oh, oui ! À mardi soir. Pampili va se cacher derrière l'étable. Comment peut-on rire et pleurer à la fois ? Avoir du chagrin et être fou de joie ?

Pourtant c'est ça, la vie.

Le soleil descend derrière les montagnes bleues. Là-bas, c'est la mer... là-bas, c'est l'Amérique où est parti l'oncle Piera, que Pampili rejoindra peut-être un jour pour garder comme lui, à cheval ou en hélicoptère, les immenses troupeaux de la sierra.

Qui sait ?

# 8

## Copains comme avant

Pampili l'a décidé : il retourne à Hélette.
Après la classe du soir, il court jusqu'à la route
d'Iholdy et guette le camion laitier. Celui-ci
approche, Pampili lève le pouce. Le chauffeur
freine et stoppe son engin.

— Grimpe vite, petit, je ne suis pas en
avance.

C'est amusant de voir conduire ce gros
camion. Le chauffeur prend les virages en
douceur ; les grands bidons tintinnabulent et
l'homme ralentit.

— Heureusement, on va bientôt avoir le
camion-citerne, dit-il.

Bientôt aussi, quand les agneaux seront
sevrés, on ramassera le lait des brebis pour
faire de savoureux fromages. Plus tard les

bergers s'en chargeront, lorsqu'ils auront regagné la montagne avec leurs troupeaux.

Hélette ! On dépasse le village, puis le poste d'essence. C'est là, après le tournant vers Louhossoa. Le jour baisse, il faut courir pour voir Poïta avant la nuit.

Avec un merci rapide, Pampili dégringole de la cabine. Il est inquiet. Et si Poïta l'avait oublié ? Ce serait bien sa faute, à lui.

Il a lestement franchi la barrière. Poïta est à l'autre bout du pré. Elle ne l'a pas vu, il appelle :

— Poïta, ma belle, c'est moi, c'est Pampili !

Elle a dressé la tête. Elle secoue impatiemment sa crinière, puis se remet à brouter.

— Poïta !

La voix de Pampili se fait suppliante. Elle ne va pas venir, elle l'a oublié ! C'est vrai qu'elle est encore si jeune... il va falloir refaire amitié.

Une tornade, un ouragan ! La petite pouliche a foncé et galope droit sur Pampili, s'arrête net devant lui, fourre son museau dans la poche de l'anorak, s'ébroue, cabriole, part, caracole et danse de joie.

— Tu me reconnais !

Et comment ! Maintenant Poïta se dresse sur ses pattes de derrière, pose ses pattes de devant sur les épaules de Pampili qui ne s'y attendait pas et s'écroule dans l'herbe. Gratiane, accourue, éclate de rire. Pampili et Poïta, pêle-mêle, se roulent à terre. Pampili protège sa tête de ses bras repliés. C'est que les durs petits sabots pourraient bien lui fendre le crâne !

Manech et Isker les ont rejoints. Les deux amis se retrouvent copains comme avant et les courses folles recommencent dans le grand pré.

— Il me tarde qu'on puisse la monter, dit Pampili.

— Elle est encore trop jeune, tu lui casserais les reins. Isker, peut-être ?

Isker ne demande pas mieux, mais Poïta ne l'entend pas de cette oreille et rue de tout son cœur. Les enfants s'éloignent précipitamment et Isker se met à pleurnicher.

— Venez manger ! crie la mère.

Pampili la salue ; il est un peu confus.

— Ah, te voilà revenu, toi !

L'accueil n'est pas enthousiaste. La mère ne comprend toujours pas la curieuse indulgence de son mari pour les jeux des enfants avec « cette bête », comme elle dit. Elle trouve qu'il fait bien des mystères. Où veut-il en venir ?

Pampili ne se pose pas de questions. Il est tout à sa joie. Comme les autres, il s'est glissé sur le long banc contre le mur, et tend son assiette à la bouillie de maïs. Les hommes ouvrent leur couteau ; ils coupent le fromage et le pain en morceaux bien carrés et boivent de grandes rasades de vin. Les enfants ont droit à de l'eau rougie, l'abondance. Ils cassent des noix et jettent les coquilles dans le feu qu'elles font crépiter.

— Ça pétille encore mieux avec du sel, dit Manech. (Et sans transition il demande) : Dis maman, on regarde la télé puisque demain on n'a pas classe ? Il y a un western sur la première chaîne.

Maman ne dit pas non, donc c'est oui. Manech tourne le bouton du poste.

Les hommes entament une interminable partie de muss[1]. Il faut tromper l'adversaire sur son jeu et c'est à qui mentira le mieux.

Isker suce son pouce, ses yeux se ferment mais il refuse d'aller au lit. « Moi grand ! » assure-t-il fièrement.

---

1. (Prononcer « mouss »). Jeu de cartes basque ressemblant un peu aux tarots et qui se joue avec des cartes espagnoles.

Juste à ce moment, on frappe.

Qui peut bien venir si tard ? Des gens du mouvement nationaliste basque ? La frontière n'est pas si loin.

— N'ouvre pas ! recommande tout bas la mère a son mari.

Elle n'est pas rassurée.

Mais M. Bordegaray hausse les épaules et ouvre la porte.

— Soyez les bienvenus, dit-il simplement.

En basque cela se dit *Ongi ethori,* et c'est l'inscription qui est peinte en noir sur le linteau de la porte, à côté de la croix basque.

Deux hommes maigres, au regard inquiet, se tiennent sur le seuil. Ils n'osent pas encore entrer.

— Portugais ? demande le père.

C'est à peine une question. Il en a tant vu passer, de ces hommes qui traversent la montagne.

— Oui, oui... Hasparren, où ?... Perdu le passeur. Hasparren ?

Ils ont l'air effaré et épuisé.

— Hasparren, vous en êtes encore loin. Mais d'où venez-vous ?

L'un des hommes tente d'expliquer, l'autre fixe la marmite qui bouillonne encore doucement sur le coin de la cuisinière.

— Sers-leur la soupe, Mayalen, on tâchera de comprendre après.

— Poussez-vous, les enfants.

Eux n'ont même pas tourné la tête, le western est bien trop palpitant : les chevaux galopent emportant la belle jeune fille, les ravisseurs fuient devant le shérif...

Pourtant ils font place aux étrangers qui se réchauffent en mangeant, tandis que la mère prépare du café. Son mari pose la bouteille et le fromage devant eux :

— Servez-vous.

Ils obéissent aussitôt. Ils essaient de raconter leur longue marche sur les crêtes d'Iparla où ils ont perdu leur guide.

— Eh bien, c'est une sacrée trotte jusqu'ici ! dit Jean-Baptiste. Depuis Iparla ! Et l'autre salaud qui les a lâchés ! Il n'a pas oublié de se faire payer, c'est sûr.

Son père hoche la tête :

— Encore deux qui croient découvrir en France l'or du Pérou. Trouveront-ils seulement du travail, pauvres diables ?

— Oui, oui, travail ! répètent joyeusement les Portugais. Maçons, jardiniers, tout faire. Après, faire venir femme, enfants.

La mère est émue.

— Vous allez coucher ici et demain on verra.

La maison est si grande, deux de plus ou de moins ce n'est rien. Ils coucheront dans la chambre du cadet, parti laitier à Buenos-Aires et qui sera de retour... un jour. En attendant, sa chambre peut bien abriter des exilés comme lui, n'est-ce pas ?

# 9

## *Le vent qui vient à travers la montagne...*

Qu'est-ce qu'il y a, aujourd'hui ? Tout le monde est fou !

Ce matin les garçons, réveillés tôt, ont fait la bagarre avec leurs polochons. M. Bordegaray, qui s'était encore levé cette nuit pour l'agnelage, est venu sans douceur les prier de se calmer.

Alors ils se sont habillés en silence — oubliant évidemment de se laver et de se coiffer — et sont partis dans le pré avec un bout de pain et deux pommes dans leurs poches. Gratiane, qui les a rejoints, apporte un morceau de saucisson et du chocolat.

Il fait à peine jour. Mais le mimosa derrière la maison s'est ouvert cette nuit. C'est le vent d'Espagne, le vent chaud qui vient de très loin, d'Afrique peut-être, c'est le vent d'Espagne, qui a fait fleurir le mimosa.

C'est le vent d'Espagne qui a déposé les Portugais devant la porte ; il va les remporter aussi vite vers la chaîne d'embauche qui les conduira jusqu'à Paris et sa banlieue noire et transformera ces paysans en ouvriers...

C'est aussi le vent d'Espagne qui amène des visites à Poïta. Les enfants se frottent les yeux.

— Je rêve, ou quoi ? dit Gratiane.

— Tu veux que je te pince, pour voir ? propose charitablement Pampili.

Poïta est tout au bout du pré, là où commence la lande. Elle a passé la tête par-dessus la clôture — cinq barbelés bien serrés — et... oui, elle cause avec quelqu'un !

Les trois copains se glissent très lentement le long de la haie d'ajoncs, avec des ruses de Sioux ; ils se rapprochent sans être vus ni flairés.

Un autre pottok est là. Plus grand que Poïta, presque noir. Les deux chevaux frottent leurs têtes l'une contre l'autre ; ils échangent des caresses avec un doux bruit de gorge.

— La mère ! devine Pampili, tout ému.

Mais le vent capricieux a tourné ; brusquement le pottok découvre les enfants. Il pousse un bref hennissement d'adieu, prend la fuite et disparaît dans les fougères.

La harde l'attendait sans doute, car on entend distinctement le galop de plusieurs chevaux, retrouvant la piste à peine tracée dans la lande qui les ramène au Baïgoura.

Poïta hennit plaintivement plusieurs fois.

— Elle les appelle, murmure Gratiane.

— Si on lui ouvrait la barrière ? propose Pampili.

Cela a été plus fort que lui ; un cri du cœur.

— Tu es fou, non ?

Manech enfonce un doigt dans sa tempe et le tourne plusieurs fois. Pampili est vexé.

— Pas si fou que ça. Ce serait normal, non, qu'elle retrouve sa famille.

— Penses-tu ! Elle est bien trop apprivoisée. C'est dur la vie de pottok libre, tu sais, et probable que les autres n'en voudraient pas et la mordraient... sauf la mère, bien sûr.

Après tout, Pampili serait bien bête d'insister. D'ailleurs, c'est vrai ce que dit Manech ;

Poïta n'essaie pas de s'enfuir en sautant la clôture. Elle est heureuse ici, surtout depuis le retour de Pampili, naturellement.

Les libres pottoks reviendront plusieurs fois, toujours à la prime aube. Eux non plus n'essaieront jamais de rejoindre la petite pouliche dans le pré. Ils préfèrent garder leur liberté, galopant dans l'immense massif aux pentes raides et aux gorges profondes.

Pourtant, ils n'oublient pas Poïta.

Maïder arrive à son tour en courant, les joues barbouillées de café au lait. Isker la suit, aussi vite que ses jambes le lui permettent.

— Attends-moi ! crie-t-il.

Les brebis se mettent à courir aussi derrière les enfants. Isker est rattrapé, soulevé par le flot. Il se cramponne aux toisons, le voilà porté ! Il crie et rit à la fois, ravi et mort de peur.

— Oh ! dit Manech. Moi aussi...

Maïder court toujours en avant du troupeau, vers Poïta. Manech s'est frayé un chemin jusqu'à son petit frère et se laisse maintenant porter par la houle laineuse et bêlante. On dirait une grosse vague couverte de l'écume des tempêtes.

— On fait du surf ! crie Manech.

Il a vu les fameux surfistes australiens à Biarritz, au cours de la promenade scolaire de l'automne.

Enthousiasmés par ce nouveau moyen de transport, Gratiane et Pampili se précipitent. Mais Maïder est tombée et risque d'être piétinée. Les garçons se dégagent et détournent le troupeau. Isker est complètement affolé. Gratiane court relever sa sœur. C'est la mêlée.

— Maman ! hurle Isker de toutes ses forces.

Maman accourt.

— Qu'est-ce que vous avez donc tous, aujourd'hui ? C'est le diable qui vous tient ou quoi ?

— Gorri ! gorri ! hurlent les garçons, déchaînés.

— Faire courir les brebis ! Et les agneaux, vous y avez pensé ? Heureux s'il n'y a pas de pattes cassées...

Penauds, les garçons baissent le nez.

De gros nuages roulent et basculent dans le ciel. Les montagnes deviennent plus foncées. Le mimosa se balance, quelques brins parfumés sont arrachés. Les canards se dandinent vers la mare en cancanant ; ils sentent venir la pluie et se réjouissent.

— Le temps va changer, annonce M. Bordegaray.

*Le vent du sud est un oiseau*
*qui trempe le bout de l'aile dans l'eau.*

Vite, prenez les fourches et venez m'aider à descendre la litière.

Le tracteur et sa remorque pleine d'enfants ont disparu en cahotant dans le chemin qui grimpe vers les hautes meules de fougères dorées fauchées à l'automne.

Les brebis se sont calmées et se remettent à paître dans les pâquerettes. Poïta danse au fond du pré. La mère ramasse Isker, abandonné et hurlant.

— Viens, je vais te mettre du baume, et tu auras un bonbon. Tu es grand, tu ne pleures plus. Ce n'est rien, ça.

Non, ce n'est rien. C'est le vent d'Espagne.

# 10

## L'idée fixe de Pampili

— Pampili, dépêche-toi !

Mayalen appelle son frère à tue-tête.

— On va être en retard, ce sera ta faute.

Pampili enfile ses bottes sans se presser. On a le temps, cette Mayalen s'agite toujours.

— Pam-pi-li ! tu vas nous faire attraper par la maîtresse.

Maman intervient :

— Presse-toi, voyons. S'il s'agissait d'aller voir ton pottok, tu serais déjà loin. As-tu ton cartable ? Tu n'oublies rien ?

Pampili émerge enfin et rejoint sa sœur qui piétine devant la porte. Begnat, enrhumé, reste à la maison. Il commence à pleuvoir et la boue du petit chemin est glissante. Heureusement, la route goudronnée n'est pas loin.

L'école est près de l'église. De temps en temps, il est question de la fermer parce qu'il y a une autre école à Lantabat ; quand Begnat a commencé à venir, ça a fait un enfant de plus. La maîtresse était drôlement contente ; elle est basquaise, elle aussi. Elle fait l'école en français mais elle parle souvent basque. Maman raconte que quand elle était petite c'était défendu de parler basque à l'école. Ça alors ! Aujourd'hui, on s'exprime dans les deux langues. Mayalen aime bien le français, c'est elle qui a les meilleures notes. Mais Pampili préfère que la maîtresse raconte des histoires basques en basque. « Basque il est ! », Pampili... c'est comme ça qu'on dit.

— Pampili Etchegoyen, tu rêves ! l'interpelle la maîtresse. Répète ce que je viens de dire.

Aïe, aïe, quand la maîtresse énonce votre nom au grand complet, c'est qu'elle est en colère.

— Heu... heu... heu...

Un rire étouffé parcourt la classe.

— Les œufs sont durs, chuchote une fille.

— Alors, j'attends ? dit Mademoiselle, sévère.

— Heu.. vous avez parlé de... d'étude du milieu.

— Ah bon, ça au moins c'est précis ; celui qui t'a soufflé pourra le faire un peu mieux la prochaine fois. Enfin, Pampili, tu n'as pas honte ? Est-ce que tu penses quelquefois à ton entrée en sixième ?

Pampili baisse la tête.

— Tu es loin d'être idiot, pourtant. Mais tu rêves... À quoi donc ? On dirait que tu as une idée fixe.

La classe est en joie : « Idéfix, Idéfix ».

— Je sais, moi ! crie Mayalen.

— Toi, je ne te demande rien, dit la maîtresse. Laisse-le s'expliquer, il est assez grand pour ça.

Pampili défie sa sœur du regard :

— Oui, c'est vrai, je rêve... à Poïta !

La maîtresse est surprise :

— Qui est Poïta ?

— Ma petite jument... enfin, elle n'est pas tout à fait à moi, mais presque... depuis le Baïgoura.

La maîtresse a perçu l'émotion dans la voix du garçon.

— Écoute, Pampili, viens ici près de moi. Je devine que l'histoire de Poïta est très intéressante et tu vas nous la raconter.

— Je peux la raconter en basque ? demande Pampili.

— Bien sûr.

Et Pampili commence son récit. Tout le monde écoute : la montagne la nuit, les pottoks, l'orage, l'accident, le sauvetage. Tout le monde voudrait connaître Poïta, tout le monde envie Pampili, le veinard qui n'a jamais parlé de Poïta !

— Merci, Pampili, c'est une belle histoire et je comprends que tu penses souvent à ton petit pottok. Alors maintenant tous les grands vont écrire cette histoire en français, pendant que je fais lire les petits.

Pour une fois Pampili sait ce qu'il faut dire, pour une fois il va piler Mayalen. Quand même, elle est sympa, cette maîtresse. Oui mais c'est difficile à écrire, le français. Est-ce qu'il faut mettre « le » ou « la » jument ? « la maison blanc » ou « le maison blanche » ? En parlant, ça va encore ; on peut dire « Begnat elle est malade », la maîtresse ne fait pas toujours attention. Mais quelle drôle d'invention les genres, en français ; on s'en passe si bien en basque !

Pampili peine sur son travail.

Presque tous les élèves mangent à la cantine. C'est la voisine de l'école qui prépare le repas. Les parents lui donnent des provisions et un peu d'argent pour sa peine. La soupe est bonne et surtout il y a toujours un dessert : des pommes cuites dans leur peau, de grosses tartes, du clafoutis de cerises, du pain perdu et, les veilles de vacances, des merveilles ou des beignets. On s'en pourlèche les babines ; ceux qui retournent chez eux sont un peu jaloux des « cantiniers ».

La dernière bouchée avalée, il reste un bon moment pour courir au fronton. Tous les grands garçons jouent à la pelote à main nue. Chacun a sa dure pelote dans la poche. Elle claque sec sur le mur blanc, les garçons agiles courent pour la renvoyer. Ils s'exercent seulement ; les vraies parties où l'on compte les points sont pour les jours de congé.

Les petits jouent aux billes, et les filles à l'élastique ou à la corde en chantant des refrains toujours sur le même air. Cette année, deux filles ont voulu jouer aussi à la pelote. Elles se débrouillent assez bien, on en met une dans chaque camp.

La cloche. Déjà l'heure de la classe ! Ah ! mais cet après-midi, on doit poser des questions. Toutes celles qu'on veut. La maîtresse répondra, elle sait tout !

Pampili a sa question toute prête, il y a réfléchi ce matin et il attend son tour avec impatience. Les autres posent des questions bêtes : « Combien de feuilles il y a sur un arbre ? » ou bien : « Qu'est-ce qu'on met sur les routes goudronnées ? » Débile.

— À toi, Pampili.

Il se lève brusquement :

— Pourquoi les montagnes s'appellent ?

La maîtresse est interloquée.

— Qu'est-ce que tu veux dire ?

— Eh bien, oui. Par exemple, pourquoi Artzamendi s'appelle comme ça, et toutes les autres ? Elles ont des noms qui veulent dire des choses, qui leur a donné leurs noms ?

— Je comprends. Sûrement les premiers hommes parce qu'ils devaient se diriger quand ils allaient à la chasse. Alors ils disaient : Je vais à la montagne de l'ours (Artzamendi), je vais à la montagne du loup, je vais à la montagne aux chèvres. Après, quand ils ont commencé à apprivoiser et à faire paître les bêtes, ils ont « appelé » comme tu dis le plateau des bruyères, le bois du hêtre, etc.

— Mais comment a-t-on su tout ça ?

— Comme à présent. Les grands-pères enseignaient les vieilles histoires aux petits-enfants et leur apprenaient les noms des montagnes et des rivières.

— C'est joli, tous ces noms ! dit une voix au fond de la classe.

La maîtresse sourit.

— Oui, c'est joli. Surtout, ne les oubliez pas. C'est vous qui les garderez vivants. Même s'il n'y a plus de loups ni d'ours, il faut se souvenir qu'autrefois il y en avait tant qu'ils donnaient leurs noms aux montagnes. Pampili, ta question était vraiment intéressante. Merci à toi. Rentrez vite, il va pleuvoir ; ne vous arrêtez pas pour cueillir des violettes, ni ramasser des cailloux pour vos frondes. À demain !

Pampili a eu tous les succès, aujourd'hui. Sûr, il ira en sixième !

# 11

## Petits bergers de la lande

Tous les cerisiers ont fleuri. Tous les chemins creux sont pleins de primevères. Les merles construisent leurs nids dans les haies d'épine noire. Et tous les enfants de Lantabat ont pris leur volée ; ils sont en vacances pour Pâques.

Il a plu à torrents pendant la semaine sainte, les rivières ont grossi : la joyeuse cascade est en tumulte. Pampili et ses copains ont des fourmis dans les jambes. Pourvu que les pères ne leur trouvent pas un travail à la maison !

Non. Les pères n'ont pas besoin d'eux mais il faut sortir les brebis. Elles ont besoin de s'entraîner avant de gagner pour l'été la haute montagne.

— Emmène-les aux communaux, recommande M. Etchegoyen à son fils.

Pampili ne demande pas mieux. Dans la lande, là-haut, il va retrouver ses copains qui monteront aussi leurs brebis. À la campagne, le temps commande, et on fait tous la même chose au même moment.

Les brebis brouteront ensemble et ce soir il faudra démêler les troupeaux. Heureusement les chiens s'en chargeront, car, malgré les marques, ce n'est pas un travail facile. Les brebis veulent toutes rester groupées.

Celles de Caricondoa sont marquées de bleu. Bon, la traite est terminée. Quelques agneaux tardifs et leurs mères ne sont pas de la partie. Ils iront paître dans le pré, derrière la maison.

— Par ici, Patou !

Le chien est déjà à son poste, en serre-file. Il ne tient pas en place. Pampili non plus.

— Ton casse-croûte ! crie sa mère.

Elle lui tend la sacoche où voisinent saucisses, œufs durs, pain, fromage.

— Je veux y aller, moi aussi ! crie Begnat.

Ah non ! Pampili veut bien garder les brebis mais pas son frère. Il fait semblant de ne pas entendre et prend place devant le troupeau avec quelques appels encourageants.

Les quatre-vingts brebis trottinent docilement à sa suite. Elles devinent sans doute qu'on va vers la lande. Dès qu'on monte, elles sont contentes. À la crête de la haute colline, les pâturages appartiennent à tous les gens des communes de Lantabat et d'Ostabat, sur l'autre versant.

Les brebis s'y régalent des jeunes pousses de bruyère si elles dédaignent les fougères. Quand il y a trop d'ajoncs, un berger allume un feu pour les brûler ; les cendres font de l'engrais où pousse une herbe fine et tendre. Mais il est défendu aux garçons d'allumer eux-mêmes ces feux-là. C'est affaire d'homme.

On y est. Les copains sont déjà arrivés : Ganich et Piera. Ah, mais il y a aussi les gars d'Ostabat. Oh, oh ! pas sûr du tout qu'ils aient droit au pacage, ceux-là. Faudra qu'ils fournissent leurs preuves, sinon on les fera redescendre en vitesse.

Pampili assure dans son poing son bâton de berger et se rapproche de ses copains.

— Vous les avez vus, là-bas, ceux d'Ostabat ? Ils sont sur nos terres. Non mais, quel culot !

Pampili est maintenant tout à fait sûr de son bon droit.

— Hé, dit Ganich, les communaux sont a eux aussi.

— Pas ceux-ci, rétorque Pampili, c'est seulement plus loin, vers la crête.

— Tu crois ?

— Et alors. Tu vas voir.

Les brebis de Lantabat se sont déjà mélangées et paissent paisiblement, s'éloignant peu à peu. Les chiens, couchés à côté des besaces, dorment d'un œil, prêts à bondir si quelque chose ne va pas.

— On n'est que trois et ils sont cinq, constate Piera qui sent venir la bagarre.

— Mais il y a deux petits, souligne Pampili. On ne va pas se dégonfler, non ?

Ils s'avancent prudemment. Ceux d'en face les observent. Pampili ouvre les hostilités.

— Hé là, bande de minables, qui vous a permis de venir sur notre terrain ?

— Minables vous-mêmes, répond le plus grand gars d'Ostabat. On est chez nous, ici.

— Quoi ? quoi ? quoi ? chez vous !

Pampili suffoque d'indignation.

— Les oies font quoi comme toi et sont bêtes comme toi ! réplique l'adversaire du tac au tac.

— Ah, oui ! Eh bien, vous allez voir si vous êtes chez vous ! Allons-y, les gars. Ici Patou, ici Faraude...

Brandissant leurs bâtons, les trois garçons ont démarré, suivis des chiens. Patou et Faraude mordillent les pattes noires des brebis d'Ostabat et sèment la déroute dans le troupeau qui s'enfuit vers la descente, en bêlant plaintivement. Leurs gardiens les poursuivent pour essayer de les ramener vers la crête. Les chiens d'Ostabat s'en mêlent et c'est un concert de cris et d'aboiements. La panique ! Pampili et ses copains triomphent bruyamment.

Hélas ! ce triomphe est de courte durée. Les adversaires ont réussi leur manœuvre et, tandis que leur troupeau fraternise avec les brebis de Lantabat, ils attaquent traîtreusement Pampili et ses copains par-derrière. Cette fois, la lutte est sérieuse. Couverts de plaies et de bosses, les combattants s'arrêtent enfin.

— On mange ? dit Ganich.

Il n'y a ni vainqueurs ni vaincus, mais seulement des gars qui se sont bien bagarrés et en ont assez.

— Vous devez nous payer un tribut, déclare Pampili. C'est comme ça, quand les brebis vont chez les autres. Entre les Espagnols et les

Français, par exemple. Après, on jure d'être amis en posant la main sur une pierre.

— Des pierres, ça ne manque pas, remarque Arnaud d'Ostabat. Mais le tribut c'est peut-être bien vous qui devriez nous le payer.

La querelle menace de renaître. Personne n'en a vraiment envie.

— Bon. Eh bien, on échange seulement nos couteaux, dit Pampili. Et on fait le serment d'amitié, là, sur cette grosse pierre.

Les mains des garçons se posent gravement l'une sur l'autre. Les visages sont sérieux, même ceux des petits frères qui regardent les grands. Ils n'ont pas encore de couteaux, eux.

Chacun récite à son tour la formule inventée par Pampili : « Je jure d'être fidèle au serment d'amitié, entre ceux d'Ostabat et ceux de Lantabat. »

Puis ils échangent leurs couteaux.

Ils s'examinent à présent avec des yeux tout neufs. Les chiens leur sautent dessus, lèchent les visages en gémissant de joie. Eux aussi ont fait amitié. Les brebis broutent toujours, un

agneau, déjà grandet, appelle sa mère. Les premières jonquilles s'ouvrent à l'abri des ajoncs.

— C'est pas tout ça, mais il fait froid, dit Piera avec une grimace. Allez, on joue aux Indiens.

Ils ont tous vu le même film la veille à la télé, il n'est pas difficile pour eux de s'en inspirer. Les petits sont les belles jeunes filles enlevées, les grands la police montée et les Indiens.

— Youpi ! rugissent les Indiens, et ils inventent des cris de guerre qui ressemblent à ceux des Basques.

Ils s'embusquent derrière les rochers, se cachent parmi les brebis qui n'y comprennent rien et galopent dans la lande. Le temps d'un court regret, Pampili pense à Poïta : « Ah, si seulement elle était là pour courir avec nous ! Elle aime tant ça... »

Mais le jeu le reprend et il brandit son tomahawk.

Lorsque les garçons s'arrêtent, essoufflés, le soleil est bas sur l'horizon. Il faut démêler les bêtes et redescendre, qui vers Ostabat, qui vers Lantabat.

On prend par la vieille route, celle que les bêtes préfèrent parce qu'elle n'est pas goudronnée. C'est la route de Saint-Jacques, celle des pèlerinages. Encore de nos jours on voit passer de temps en temps des pèlerins, qui arrivent d'Harambelz ou de plus loin et qui veulent aller jusqu'au bout à pied. Plus de sept cents kilomètres ! Quand ils font halte, on leur donne la soupe. Maman dit que ça porte bonheur à la maison.

— Dis, papa, c'est vrai que ceux d'Ostabat ont le droit de pacage aux communaux avec nous ?

— Oui, c'est vrai.

Fatigué, le père n'ajoute rien.

Et Pampili garde pour lui le récit de cette journée bien remplie. À Manech seul il racontera, quand il retournera à Hélette.

# 12

## Expédition au Baïgoura

Grand-père lutte vaillamment contre sa peine. La vie doit continuer, même sans amama. Grand-père a encore tant à raconter, tant à apprendre aux enfants.

— Tu sais, Pampili, la prochaine fois que tu retourneras à Hélette, je t'accompagnerai.

Il sourit à Pampili qui saute de joie à l'idée d'emmener grand-père en stop jusqu'à Hélette. Mme Bordegaray ne fera pas la tête, cette fois.

— Je parie que vous voulez voir Poïta, hein, grand-père ?

— Je veux voir Poïta, bien sûr, et surtout je veux revenir au Baïgoura, tant que je peux encore grimper.

C'est vrai que grand-père est très vieux. Peut-être quatre-vingts ans ? Pampili ne sait pas trop.

— Vous savez, maintenant, on peut monter en auto. La route va jusqu'au sommet, à cause du relais de la radio qu'on y a construit.

— En auto !

La voix du grand-père est méprisante.

— En auto ! Tu crois que ça m'intéresse ! Non. Je veux revoir ma montagne tranquillement, et pas dans le vacarme. Tu demanderas au cousin quel jour il va visiter ses chevaux. C'est le moment, fin mai. J'irai avec lui.

— Et Manech et moi aussi, grand-père. Ce sera sûrement un dimanche.

Affaire conclue. Malgré le désir de Pampili, pas de stop, cette fois. Son père sort la voiture pour les emmener, grand-père et lui, à Hélette. C'est plus respectueux pour le vieil homme.

« Je parie qu'il se serait bien mieux amusé dans le camion », pense Pampili.

Enfin, ils sont à Hélette, c'est le principal.

La nuit a été courte. En cette saison, le soleil se lève tôt et les hommes en font autant. Grand-père a son makhila, sa ceinture de laine rouge et son petit foulard jaune et rouge autour du cou. Son vieux visage est tout plissé

de sourire. M. Bordegaray porte la grande poche à sel brodée et de puissantes jumelles en bandoulière. Gratiane — qui a réussi à venir aussi — et les garçons ont le casse-croûte dans leurs besaces.

Il faudra peut-être marcher longtemps avant de trouver la harde. C'est le moment où les juments se cachent pour mettre secrètement leurs poulains au monde. Et justement, M. Bordegaray voudrait bien savoir s'il a de nouveaux pottoks.

On grimpe sans hâte dans le brouillard, sur le chemin d'herbe encore trempé de rosée, beaucoup plus agréable que le chemin de rocaille. Les brebis le savent bien ; on voit partout leurs traces.

Les hommes se taisent ; les enfants bavardent et gravissent à tout moment le talus fleuri de campanules. Gratiane cueille des fleurs.

— Laisse, dit son père, elles vont faner.
Pampili déterre avec soin un pied d'orchis
tacheté et l'enveloppe de feuilles avant de le
glisser au fond de son sac. Un seul, c'est pour
le replanter à la maison.

Manech se baisse et se relève rapidement.

— Tiens, dit-il à sa sœur, tu veux une
réglisse ?

Ce n'est pas de refus ; Gratiane prend la
petite pastille noire que lui tend son frère.
Un peu surprise tout de même de tant de
gentillesse.

Elle porte la pastille à sa bouche. Manech
contient mal son rire et pousse Pampili du
coude. Un hurlement !

— Dégoûtant, sale cochon, *sikina hourdia !*
crie Gratiane.

Elle est cramoisie et recrache la « réglisse »
avec vigueur. C'était une des jolies petites
crottes déposées là par le troupeau en route
vers le pâturage.

Gratiane s'élance vers son frère pour le
griffer. Manech s'esquive aisément.

— Tu verras, tiens, je te ferai manger de la
bouse de vache, moi. Débile ! Âne mort !

Pampili rit de bon cœur, pas du tout choqué
par cette excellente plaisanterie.

— Tu sais, dit Manech, les brebis aiment bien la réglisse quand elles en trouvent dans la montagne ; alors il y en a quand même sûrement un peu : celle qu'elles ont broutée !

Gratiane en demeure les bras ballants. Et puis, elle regarde Pampili ; le fou rire la gagne, elle aussi, et les trois enfants se roulent de joie dans l'herbe humide.

— Alors, vous prenez un bain, ou quoi ? crie M. Etchegoyen. Vous pouvez rester là, si vous voulez !

Ah non ! pas question. En quelques foulées rapides les enfants rejoignent les hommes qui progressent d'un pas égal et lent.

On arrive au hêtre foudroyé.

— Tu te souviens ? dit Pampili.

Il s'est rapproché de son camarade. Ils échangent un coup d'œil complice. La nuit de l'orage, la chute du petit pottok, la Dame Blanche dans les ténèbres... Un instant, le bras de Manech entoure les épaules de Pampili. Des frères, oui, ils sont devenus des frères cette nuit-là.

Cela n'a duré que quelques secondes. À nouveau les garçons plaisantent et taquinent Gratiane qui leur répond avec entrain.

On a laissé les chiens à la ferme, ils pourraient effrayer les chevaux, mais les enfants regrettent leurs compagnons.

— De quel côté est la harde ? demande le grand-père à son parent lorsqu'on arrive au premier cayolar[1].

— Après le col, je pense. Au printemps les juments aiment aller par là, elles y sont tranquilles pour pouliner.

Le brouillard commence à se dissiper. On distingue des morceaux de ciel bleu. De grands oiseaux tournoient en planant.

— Les vautours ! dit grand-père. Une bête morte dans le coin, sans doute...

M. Bordegaray prend l'air soucieux.

— J'espère bien que ce n'est pas une des miennes.

— Une brebis, peut-être.

Les brebis sont là, c'est vrai. On entend des tintements de clochettes ; mais la brume cache encore le troupeau.

Le berger sort de sa cabane.

— Salut ! dit-il. Vous allez voir vos petits chevaux ?

---

1. Cabane de berger à la montagne.

— Oui. Sais-tu où ils sont ?

— Hier j'en ai aperçu toute une troupe. Je ne sais pas si c'étaient les vôtres.

— À quel endroit ?

— Oh, bien après le col, derrière le deuxième ravin. Je cherchais une brebis.

— Tu l'as trouvée ?

— Hé non, mais les vautours volent bas, ce n'est pas bon signe. Elle sera tombée, et alors...

Il a un geste résigné et se tourne vers les enfants.

— Vous voulez boire un coup ?

Ce n'est pas de refus. La traite du matin est faite, les brebis sont déjà dans le deuxième enclos et vont partir au pâturage dès que l'herbe aura un peu séché.

Le lait tiédit dans le grand chaudron. Le berger n'y a pas encore ajouté la présure qui le fera cailler pour devenir fromage. Ensuite, dans la pâte bien pétrie en forme de boule, il plantera de longues aiguilles de bois qu'il changera de place de temps en temps pour bien égoutter le fromage et le débarrasser du petit-lait.

— Attrapez des bols !

Manech les prend sur l'étagère. Le berger plonge la louche dans le chaudron et les remplit soigneusement, sans renverser une goutte. Les trois enfants boivent d'un trait.

— Mmmm... c'est bon !

Pampili a une moustache blanche. Gratiane rit.

— C'est mieux que la réglisse, non ?

Le grand-père tire un paquet de tabac de sa poche et le tend à la ronde. Les hommes roulent des cigarettes et fument en échangeant quelques nouvelles. M. Bordegaray a apporté le journal de la veille et une revue agricole pour le berger.

— Merci, ça me fera passer un moment, ce soir.

Son petit transistor aussi lui tient compagnie.

On se quitte. Les enfants bondissent sur l'herbe courte rasée par les brebis.

— À ce soir, si vous repassez par ici.

— Nous redescendrons peut-être sur Bidarray. Ça dépendra de l'endroit où nous découvrirons la harde.

Le soleil sort du brouillard. Le paysage a changé. Il n'y a plus de hêtres, seulement de grosses touffes d'ajoncs et des bruyères par plaques. Et de l'herbe bien verte.

— On ne voit rien, dit Manech.

Son père prend ses jumelles et inspecte méthodiquement la montagne. Pas de trace de pottok. Ah, mais pourtant on discerne quelque chose. Il tend les jumelles au grand-père.

— Regardez là-bas. On la voit, notre montagne !

Le grand-père fixe à son tour l'horizon. Un pic imposant se dresse au loin. Il étincelle. Rochers ? Névés ? Impossible de le préciser à cette heure matinale. Des bancs de brume traînent autour de lui.

— Ahuñamendi ! (La voix de grand-père tremble.) Ainsi je l'aurai revue encore une fois, notre montagne sacrée !

Saisis, les enfants n'osent parler. Ils la connaissent bien, pourtant, cette montagne ! Mais ils ne savaient pas qu'elle était sacrée pour les Basques.

— Les Béarnais l'appellent pic d'Anie, continue le grand-père en haussant les épaules. Ceux de Lescun disent qu'elle est à eux...

— Ça ne m'étonne pas ! déclare M. Bordegaray, goguenard.

— Oh ! admet le grand-père, c'est vrai qu'ils en sont plus près que nous. Mais tout de même, c'est notre montagne, celle des chèvres sauvages...

— Des isards ! intervient Gratiane.

— Si tu veux !... Des isards et des grands orages, du Dieu qui fait les éclairs et la foudre. Il ne faut pas déranger le maître d'Ahuñamendi quand il gronde.

Le regard du grand-père se fait lointain.

Les enfants chuchotent :

— C'est comme le curé nous l'a dit ! Moïse est monté sur la montagne pour voir Dieu, mais il ne l'a pas vu. Les orages le cachaient.

— Continuons, dit le père.

Le sentier devient rocailleux. Il redescend maintenant au milieu de grosses touffes de digitales roses. On abandonne à droite le sommet du Baïgoura où brille le relais radio. On dégringole dans un profond ravin sauvage.

Où ont donc filé les pottoks ? Pampili ne se doutait pas que le Baïgoura était une aussi vaste montagne. Il n'en connaissait qu'un seul côté, le plus proche d'Hélette. Mais ici on se sent vraiment perdu, dans ces gorges et ces dédales de rochers. Il se rapproche de Manech.

— Tu crois que c'est toujours la même montagne ?

— Figure-toi que le massif du Baïgoura est plus étendu que celui du Vignemale, répond fièrement Manech.

Le Vignemale ? la montagne au glacier ? Celle que tous les pèlerins de Lourdes vont voir avec le téléphérique du lac de Gaube ? Pampi éclate de rire.

— Oh, dis, tu n'es pas un peu de Marseille ?

— Je te jure ! Hein, papa, que c'est vrai ?

Mais son père n'écoute pas. Plus personne ne dit mot. Il fait très chaud sur la pente caillouteuse où les pas des hommes font rouler des pierres. On remonte vers un autre col. De temps en temps, les hommes se passent les jumelles et font un tour d'horizon. Gratiane grimpe comme une chèvre. Les garçons ne veulent pas se laisser devancer par elle et lui courent après.

— Les voilà ! Je les vois, je les vois !

C'est Gratiane qui a crié. Perchée sur un rocher, elle domine un nouveau ravin.

L'interminable poursuite est-elle enfin terminée ? Manech et Pampi le souhaitent vraiment. Ils n'en peuvent plus. Mais ils sont vexés que Gratiane les ait devancés.

— Fille du diable, va ! marmonne Manech. Toujours à faire l'intéressante ; on avait bien besoin de l'emmener !

— Écoute, déclare Pampi, elle a de bons yeux ; on ne peut pas dire le contraire. Et puis... elle les aime, les pottoks.

Il se souvient. Cet hiver, lorsqu'il n'allait plus à Hélette, lorsque Manech et lui étaient fâchés, c'est Gratiane qui a soigné Poïta, c'est Gratiane qui a continué à jouer avec elle, c'est Gratiane — il en est sûr — qui embrassait chaque mercredi à sa place l'étoile blanche sur le front de la petite pouliche.

Et c'est Gratiane aussi qui l'a laissé redevenir le meilleur ami de Poïta. A-t-il su seulement lui dire merci ?

Un doigt sur les lèvres, Gratiane les appelle de sa main libre. Et tandis que Manech grogne encore tout bas, Pampi sourit.

— Merci ! chuchote-t-il.

Mais Gratiane n'a pas entendu.

# 13

## Enfin, voilà la harde !

Les garçons ont rejoint Gratiane sur son rocher.

— Ah, dit Manech, regarde !

Il a saisi le bras de Pampi, tout ému.

Là-bas, dans la fougère verte, au milieu de joncs fleuris qui signalent une source, on les voit enfin, les pottoks. Ils sont nombreux, peut-être une quarantaine.

— Les vôtres ? demande grand-père.

— Je ne peux pas dire encore. Allons-y.

La petite troupe avance sans bruit. Les chevaux continuent à paître paisiblement. Les visiteurs approchent jusqu'à une cinquantaine de mètres.

— Oui, ce sont les miens.

M. Bordegaray a de nouveau braqué ses jumelles.

— Je reconnais ma marque. Voilà la jument-guide avec sa cloche.

— Et là, Pampi, cette jument brune, c'est la mère de Poïta, dit Manech, très excité. Elle ne vient plus la voir, la harde est trop loin.

— Et ce gros, c'est l'étalon. Chut !

Plus personne ne bouge. Le père, toujours armé de ses jumelles, inspecte le troupeau.

— Il y a des jeunes, dit-il brusquement. J'en ai repéré trois.

— Laissez-moi regarder, papa ! chuchote Gratiane d'un ton suppliant.

— Attention ! Mets bien le cordon autour de ton cou, sinon tu risques de faire tomber les jumelles. Attends, je vais les régler pour toi.

— Oh, c'est vrai ! Trois, non, quatre poulains minuscules gambadent maladroitement autour des mères. Voilà un petit roux qui se met à téter ! Un autre se roule dans la fougère, les quatre fers en l'air ; il pousse des hennissements aigus et semble s'amuser comme un fou.

Gratiane l'observe avec passion. Quel amour !

— À moi, réclame Pampili. Passe-moi les jumelles !

— Attends, laisse-moi voir encore un peu !

— Et moi, alors ? dit Manech. Chacun son tour.

M. Bordegaray est content. Il a pu constater que plusieurs juments sont pleines. Cela promet d'autres naissances pour bientôt. L'année sera bonne.

Grand-père, un peu las, s'appuie sur son bâton. Malgré lui, ses yeux se détournent du troupeau pour chercher Ahuñamendi, sa montagne, dont le sommet étincelant disparaîtra dès qu'on descendra sur Bidarray.

Les enfants se disputent les jumelles et le père les leur reprend. Il examine les pottoks avec soin. Les bêtes ont encore leur poil bourru de l'hiver, mais elles paraissent vives et en bonne santé. Un seul pottok marche avec peine, il boite. Une mauvaise chute ou une pierre dans le sabot, sans doute. L'étalon est plein de feu ; il caracole autour de ses juments et surveille les visiteurs, prêt à détaler avec sa harde à la moindre alerte.

Allons, tout va bien. Sur une large pierre plate, le père vide la poche à sel. Les petits chevaux sauront venir le lécher lorsque les

hommes seront partis. Le sel est aussi néces-
saire aux bêtes qu'aux hommes.

On mange rapidement un morceau. Les
enfants jettent des croûtons de pain, mais en
vain. Les pottoks les contemplent d'un œil
méfiant et s'éloignent un peu plus.

— Oh, j'aurais tant voulu caresser les
petits ! s'écrie Gratiane, très déçue.

— Ils ne te permettront jamais d'approcher, dit son père.

— Pourtant, regarde Poïta !

— Poïta est apprivoisée, ceux-ci sont
libres ; c'est toute la différence, explique
Manech d'un air important.

— Eh oui, c'est toute la différence, répète
son père.

Et il adresse un sourire à Pampili.

Mais Pampili est mal à l'aise. Pourquoi
M. Bordegaray prend-il toujours un air goguenard lorsqu'on parle de Poïta ? Il y a quelque
chose que Pampili ne comprend pas. On ne
lui dit pas tout et il est vaguement inquiet.

— En route, les enfants, il y a encore un
long chemin à faire. Nous allons redescendre
sur Bidarray, ce sera plus rapide.

— Et pour revenir à Hélette ?

— On fera du stop.

Ah tiens, grand-père va quand même faire du stop ! En attendant, il est tout content et marche d'un bon pas. À Bidarray, il va sûrement retrouver ses copains d'autrefois.

Mais oui ! Grand-père se reconnaît bien chez lui, et le premier ami qu'il rencontre est justement le patron de l'auberge où ils entrent se restaurer.

L'aubergiste leur apporte une belle omelette baveuse, fourrée de piments et de jambon. Tandis que les enfants dévorent, grand-père et lui évoquent le temps de leur jeunesse, celui de la terrible guerre civile en Espagne. Des milliers de réfugiés venaient alors, à travers la montagne, chercher un asile en France : les blancs d'abord, ceux de droite, les rouges ensuite, ceux de gauche. Quelle misère ! Comment peut-on s'entre-tuer ainsi... Heureusement ces temps sont loin, même si quelques-uns tuent encore de l'autre côté de la frontière.

— Oui, ces temps sont loin ; beaucoup sont repartis chez eux, dit grand-père, et des jours meilleurs brillent enfin pour nos frères basques.

— Beaucoup aussi sont restés et sont devenus français, remarque l'aubergiste.

— Oui, mais il y a toujours une frontière dans notre Pays basque.

— Oh ! la frontière... Vous venez de visiter vos pottoks ? Moi j'ai les miens vers Iparla. Et cela me rappelle une histoire de guerre... enfin, c'est plutôt une histoire qui se passe pendant la guerre. Mais elle n'est pas triste et amusera les enfants.

Gratiane, ivre de fatigue et de grand air, dort, la tête sur ses bras, appuyée à la table. Elle ne bronche pas, mais les garçons dressent l'oreille.

— Voilà. C'était donc pendant la guerre d'Espagne et j'avais un ami qui franchissait souvent la frontière...

— Un bon ami ? interrompt grand-père en clignant de l'œil.

— Un très bon, un excellent ami. Cet ami a souvent aidé de pauvres malheureux à trouver un abri, croyez-moi. Donc, cette nuit-là, il s'apprêtait à ramener d'Espagne un Français qui s'était aventuré là-bas et voulait rentrer chez lui sans passeport. À la nuit tombée, mon ami et son voyageur quittent la grange espagnole où ils étaient cachés et prennent un sentier à travers la forêt, vers la frontière. Il fallait la traverser à deux heures du matin, au moment de la relève des gardes. Mon ami portait un gros sac à dos car, il faut bien le dire, il profitait de ses nombreux passages pour introduire en France quelques fameux cigares qui oubliaient de payer les droits de douane.

— Un contrebandier, alors ? dit Pampili.

— Un contrebandier, si tu veux. Mais entre Basques, tu sais, il n'y a justement pas de frontière. Je continue : les deux hommes approchaient de la fameuse frontière...

— ... qui n'existe pas ! chuchote Manech.

— Et le voyageur clandestin se sentait des ailes, car pour lui qui n'était pas basque, je te prie de croire qu'elle existait, la frontière ! Voilà mon ami qui fait halte, pose son sac à dos, s'assied sur un rocher et allume un cigare. « Vous êtes fou ! lui dit le voyageur. — Pas du tout, j'attends quelqu'un. » Et mon ami continue à fumer tranquillement tandis que l'autre allait et venait comme un ours en cage. Le temps s'écoulait. Tout à coup on entend marcher, le voyageur s'inquiète : « Les gardes ? — Mais non, voyons ! C'est celui que j'attendais ! » Et qui arrive, alors ? Devinez !

— Langue au chat ! dit Pampili qui veut savoir la suite.

— Un pottok, un beau pottok. Il s'arrête, fourre son museau dans la poche de mon ami, y trouve la pomme mise là pour lui...

— Comme Poïta, dit Pampili dont les yeux brillent.

— ... et se régale. Pendant ce temps, le sac à dos prend place sur son dos à lui, mon ami le fixe solidement. Une tape sur la croupe, le pottok repart au petit trot et disparaît dans la nuit. « On peut y aller, dit alors mon ami à son client. » La frontière est franchie sans encombre, pas de paquet compromettant, pas l'ombre d'un garde ou d'un douanier espagnol ou français. Les deux hommes descendent d'un bon pas, les mains dans les poches, vers la Nive. Près de la rivière, mon ami s'arrête de nouveau, de nouveau allume un cigare et de nouveau attend. Cette fois, l'autre a compris. Un bruit de galop... Le pottok est là, se laisse décharger de son sac, reçoit un croûton de pain et repart comme il était venu. Il avait emprunté des chemins connus de lui seul. Ah, c'est intelligent, ces bêtes-là. Deux heures après, nous arrivions ici.

— Vous ! interrompt Manech, éberlué. Je croyais que c'était votre ami.

Les trois hommes rient de bon cœur.

— On n'a pas de meilleur ami que soi-même, dit l'aubergiste.

Mais les enfants ne comprennent pas bien.

— Il veut dire que son ami le contreban-dier, c'était lui, explique grand-père.

— Pourquoi il ne l'a pas dit en commen-çant, alors ? demande Pampili.

— Ah, voilà. Par modestie, peut-être, répond l'aubergiste, très sérieux. Dans ce temps-là, on avait l'habitude de se cacher ; il y avait du danger, vois-tu. On pouvait être tué, comme ça, pour un malheureux qu'on aidait à s'enfuir. C'était la guerre.

— Dieu veuille que ce temps-là ne revienne jamais, dit M. Bordegaray.

Les enfants se taisent, impressionnés.

Un camionneur qui a fini son repas se lève :

— Je remonte sur Hasparren. Si vous voulez, je vous dépose à Hélette au passage.

On réveille Gratiane et tous se hissent dans le camion. Le grand-père sur le siège à côté du chauffeur. Ragaillardi par sa journée, il a rajeuni de dix ans malgré la fatigue.

— À une autre fois ! crie l'aubergiste. J'ai d'autres histoires, vous savez. Je compte sur toi, mon vieil Etchegoyen.

# 14

## Un cerisier sur la colline

— Et si tu invitais ton ami, à ton tour ? dit maman à Pampili. C'est toujours toi qui vas chez lui.

C'est vrai. Mais chez Manech, il faut bien le dire, il y a Poïta.

— C'est mieux là-bas, murmure Pampili.

— Les cerises vont être mûres.

Maman est soucieuse de « rendre ». Oh ! Bien sûr, Pampili ne part jamais les mains vides pour Hélette. Il emporte tantôt un sac de noix, tantôt de belles pommes, un jour un paquet de biscuits ou une plaque de chocolat pour les petits. Tout de même...

— Oh, maman, je voudrais connaître les sœurs de Manech ! s'écrie Mayalen.

— Invite-les aussi.

Mayalen est pour sa mère une alliée inattendue. Que faire contre deux ? Pampili capitule. Il invite donc Manech, Gratiane et Maïder. Leur père les amènera en auto le matin. Et leur mère viendra les chercher le soir avec Isker qui menace déjà de pleurer parce qu'il n'est pas invité !...

— Tu es trop petit pour quitter maman, lui dit Maïder qui fait l'importante.

Mayalen et Gratiane sont tout de suite une paire d'amies. Elles se tiennent par la taille et se chuchotent des confidences. Mayalen montre fièrement le bébé à Gratiane qui aimerait bien un aussi joli petit frère au lieu de cet Isker qui pleure toujours. Elle lui montre aussi sa robe neuve en imprimé à petites fleurs roses, très mode. Gratiane lui fait jurer de venir avec Pampili la prochaine fois. Elle veut lui faire voir le ménage en vraie porcelaine (pas en plastique) que sa marraine lui a envoyé, et les robes qu'elle a cousues pour sa poupée mannequin. Pampili ne reconnaît plus son amie, ce garçon manqué rivalisant à la course avec Poïta !

Pendant ce temps Maïder est déjà perchée dans un cerisier, avec Begnat et Manech. Elle est aussi leste qu'un singe. Mme Etche-

goyen la regarde avec un peu d'inquiétude
et crie :

— Attention ! les branches sont cassantes.

— Les meilleures cerises sont sur la colline,
dit Pampili.

— On y va !

Sitôt dit, sitôt fait. Toute la bande dévale en
courant le chemin creux sous les noyers et
traverse sur de grosses pierres le ruisseau qui
chante, à l'abri des chênes têtards.

— Il y a des écrevisses ici, tiens j'en vois
une !

— On reviendra en pêcher cet été, dit
Manech.

Il se sent tout à fait chez lui, comme Pampi
est chez lui à Hélette.

On grimpe sur la colline par un chemin
raide et caillouteux, bordé d'ajoncs et de

prunelliers. Un grand cerisier, à demi mort, se dresse solitaire, là-haut, dans les fougères. Une nuée d'oiseaux qui se régalaient s'envole à l'arrivée des enfants.

— Il est bien haut et il a beaucoup de branches mortes ! soupire Maïder, déçue. On ne va jamais pouvoir monter pour attraper les cerises. C'était plus facile en bas.

Mais M. Etchegoyen a suivi les enfants. Il porte une hache et deux grands paniers.

— Attends, tu vas voir. Éloignez-vous tous.

Il a levé sa hache, il la fait tournoyer deux ou trois fois, puis avec un « han » puissant il la plante dans le tronc.

D'un seul coup il a tranché l'arbre, qui vacille et s'écroule mollement dans un grand bruit de branchages froissés.

Les enfants, réfugiés derrière la haie d'ajoncs, sont stupéfaits. Le père éclate de rire.

— Il y a longtemps que je voulais le faire, je vais défricher tout ceci pour le mettre en culture, et le cerisier me gênait, en plein milieu de la pièce de terre. En même temps j'avais un regret, mais il était à moitié mort, regardez.

C'est vrai, le tronc est creux, des insectes s'en échappent.

— Maintenant, régalez-vous.

Ils ne se le font pas dire deux fois. Les cerises sont noires, juteuses. Ils s'en barbouillent, ils s'en gavent avec des cris de joie. Ils sont bientôt couverts de taches, des pieds à la tête.

— On est jolis ! s'exclame Mayalen.

— Bof ! qu'est-ce que ça peut faire ? rétorque Manech, qui s'écroule à terre.

Il n'avalerait pas une cerise de plus, pas une.

— Je suis comme les canards quand on les gave pour faire les foies ! dit-il.

— Moi aussi !

— Et moi, donc !

Papa, lui, n'a pas perdu son temps. Il a déjà rempli les deux paniers. Ces dames feront de la confiture.

Manech le contemple avec admiration.

— C'était comme dans *La Chanson de Roland*[1] remarque-t-il. Je l'ai apprise en classe, c'est du tonnerre.

---

1. Célèbre chanson de geste qui se passe en partie au Pays basque, près d'Arnéguy.

Il déclame :

*Il dit et déracine un chêne,*
*Sire Olivier arrache un orme dans la*
*[plaine*[1]

— Il est drôlement fort, ton père !

Pampili est flatté.

— C'est seulement un cerisier et pas un chêne, dit-il avec une fausse modestie qui ne dure guère, car il ajoute fièrement : Mon père a gagné le concours des aizkolari[2], l'année dernière, à Saint-Palais.

— Dis donc... murmure Manech, impressionné.

Pampili sourit. Après tout, il a bien fait d'inviter ceux d'Hélette... même sans Poïta.

Un peu ivres, les enfants redescendent en chantant à tue-tête et en se bousculant à qui mieux mieux.

À Caricondoa ils trouvent la table mise pour le goûter. Goûter après toutes ces cerises, jamais ils ne pourront !

--------

1. Extrait d'un poème de Victor Hugo sur la mort de Roland.
2. Bûcherons à la hache.

Eh bien, si. C'est extraordinaire, mais les bols de chocolat, les tartines de gelée de pomme qu'on mange avec le fromage de brebis, le gros gâteau fait par Mayalen, tout disparaît comme par miracle.

À ce moment, Mme Bordegaray fait son entrée avec Isker. Elle n'en croit pas ses yeux !

— Eh bien ! vous vous êtes mis dans un joli état ! s'écrie-t-elle.

Isker a aperçu le grand panier plein et court à son tour se gaver de cerises. Il est couvert de taches aussi vite que ses frères et sœurs. Il en est ravi, sa mère l'est beaucoup moins.

— Vous les mettrez dans la machine à laver, dit maman.

Ses yeux rient. Elle est plus indulgente pour les enfants que Mme Bordegaray, qui gronde souvent et dont Pampili a un peu peur.

— Oh ! maman, c'est formidable ici... c'est génial ! crie Maïder. Je voudrais y habiter toujours pour m'occuper du bébé !

Maman rit tout à fait, maintenant.

— Voilà. On pourra faire des échanges. C'est toujours moi qui vous envoie Pampili, vous me prêterez Maïder.

Elle sourit à la petite fille, mais son regard s'est un peu voilé. Sa petite Juana, qui leur a été enlevée à deux ans, aurait juste le même âge.

— Il faut partir, les enfants, dit Mme Bordegaray. Et merci pour les cerises, nous n'en avons pas d'aussi belles chez nous, nous devons les chercher à Itxatsou.

Tout le monde s'embrasse trois fois. Sur les mains et les visages les taches, savonnées avec énergie, sont presque parties. On s'est attardés, le soleil baisse et les feux de la Saint-Jean commencent à briller dans tous les hameaux pour fêter le jour le plus long de l'année et tous les Jean du peuple basque. Et Dieu sait s'il y en a ! Il y a tant de façons de s'appeler Jean, en basque !

# 15

## Aussi forts que les preux

Pampili ne déteste pas l'école ; quelquefois la maîtresse parle de choses intéressantes. Mais avec elle il faudrait toujours être propre. « Regardez-moi ces ongles en deuil », dit-elle souvent. En vacances, au contraire, on peut mettre son plus vieux short, des espadrilles trouées et courir partout ; pourvu qu'on se lave les pieds avant d'aller au lit, maman vous laisse tranquille.

Et puis, surtout, Pampili va faire un vrai séjour chez Manech. Ils retourneront passer une nuit au Baïgoura, ils feront une expédition à vélo à l'Artzamendi, ils pêcheront « la » truite et Manech apprendra à Pampili à jouer à la pala. Pampili s'occupera entièrement de Poïta, c'est promis.

Mais quand il arrive à Hélette, il ne reconnaît plus le village. Il y a du monde partout. Les gens de la ville sont en vacances, eux aussi. Ils ont loué tous les gîtes ruraux aménagés dans les fermes, et les maisons construites par les cousins d'Amérique pour leur retour au pays.

Les citadins aussi sont contents de grimper sur les montagnes, de respirer l'air pur, de voir travailler les paysans. Ils posent beaucoup de questions et s'attroupent pour regarder Poïta qui joue avec les enfants et les poules, depuis que les brebis sont parties en haute montagne. « Oh, le joli petit cheval ! Je n'en ai jamais vu un comme ça ! Dis, maman, tu veux me l'acheter ? » « Il n'est pas à vendre », dit fièrement Pampili.

Il a pris son ton le plus rogue. Il est pourtant flatté du succès du jeune pottok et lui fait parfois donner la patte devant ses admirateurs.

Par politesse, on parle français en présence des estivants. Mais ils essaient d'apprendre le basque.

— Le diable lui-même n'a jamais pu ! dit Manech, qui enseigne malignement aux garçons les jurons les plus grossiers... sans leur dévoiler la vraie traduction !

Souvent les estivants prennent leurs voitures et s'en vont bronzer et se baigner à la mer.

— Ouf ! dit alors Pampili, on va être un peu plus tranquilles, aujourd'hui.

— Quel sauvage tu fais ! lui reproche Gratiane.

Elle est bien contente de gagner un peu d'argent en faisant le service de table à l'hôtel, à l'occasion ; et elle est ravie lorsque des clients l'emmènent avec eux à la plage. Mais Pampili hausse les épaules et s'en va au pré.

— Hein, ma Poïta, n'est-ce pas qu'on est plus tranquilles sans eux ?

Pourtant on ne peut pas toujours ignorer les vacanciers. Alain et François ont demandé à Manech et Pampili de leur apprendre la pelote. Ils sont sympa, finalement, et sans leur accent pointu on pourrait presque croire qu'ils sont d'ici. Ils apprennent vite. Les jeunes Basques sont surpris.

— C'est parce que nous jouons au tennis, les gestes sont un peu les mêmes ; bien sûr, la raquette est différente, dit Alain.

— Mon père nous amène voir la grande partie de pala à Saint-Palais, dimanche. Si vous voulez venir avec nous, il y a de la place dans la voiture, propose François.

— Merci, répond Manech, mais nous y allons aussi. Son père à lui — montrant Pampili — fait le concours de la force basque.

— C'est un des meilleurs aizkolari ! dit fièrement Pampili.

— Quoi ? demande Alain.

— Un des meilleurs bûcherons à la hache, explique Manech. Je l'ai vu couper un arbre en deux coups seulement.

— Oh ! dit François, ce doit être formidable ! Est-ce qu'il faut retenir ses places ?

Pampili hésite un peu.

— Je ne crois pas. Tu comprends, nous, on en a toujours, puisque papa est concurrent.

— Il faut surtout arriver à l'avance pour bien voir, dit Manech.

— Ce n'est pas en même temps que la partie de pala, au moins ? s'inquiète Alain.

— Mais non, mais non ! Tu penses bien que les gens veulent tout voir.

— Alors, on se retrouve là-bas ?

— D'ac. Mais tu sais, avec vous nous parlons français pour que vous compreniez. Là-bas, vous n'entendrez que du basque. Et puis les gens crient...

137

— Ça ne fait rien, on comprendra bien le principal, ne t'en fais pas.

Manech sourit sans répondre. C'est plus compliqué qu'il ne croit, Alain.

Alain s'en aperçoit le dimanche suivant. Plongé avec son frère dans la foule basque qui envahit Saint-Palais, il cherche Manech et Pampili avec l'impression d'avoir passé une frontière. Il ne comprend rien, mais rien, aux phrases rapides et joyeuses qui se croisent au-dessus de sa tête. Les hommes ont garé leurs voitures hors ville, les familles entières se pressent vers le stade. Comment retrouver Manech et Pampili dans ce flot ? Ils auraient dû convenir d'un lieu de rendez-vous. Personne ne leur prête attention.

— Tant pis, on va rejoindre les parents, dit Alain à regret.

Les copains les ont oubliés ou préfèrent rester entre Basques.

— Par ici, par ici, vite !

Deux voix impatientes les hèlent. François et Alain mettent un moment à reconnaître les jeunes Basques de blanc vêtus, espadrilles impeccables, large ceinture verte et béret rouge. Ce n'est pas un déguisement mais le costume de fête aux couleurs du pays.

— Vite, on vous fait entrer avec nous, on sera bien placés.

— Et Poïta, tu ne l'as pas amenée ? dit un peu sottement François.

Pampili hausse les épaules. Poïta, dans la foule et le vacarme ! Vrai, il y a des gens qui parlent pour ne rien dire.

Tous quatre sont maintenant dans le stade. Ils ont réussi à s'asseoir sur la pelouse, juste devant la barrière. Pas de meilleur endroit que celui-là. La foule colorée, où dominent le vert, le rouge, le blanc et les robes fleuries, s'agite. Il fait très chaud. Les marchands de glaces ont de nombreux clients ; les garçons comptent leur argent, ils iront acheter des glaces à l'entracte.

Mais le championnat commence. Les deux équipes des tireurs de corde entrent en lice. Ce sont des athlètes aux muscles puissants. Ils sont impressionnants à voir avec leurs biceps énormes, la large ceinture qui les sangle pour éviter les hernies que leurs efforts pourraient provoquer. Le présentateur prononce un petit discours en basque, tout le monde rit.

— Qu'est-ce qu'il dit ? demande Alain.

— Oh, il annonce les villages que les équipes représentent : Lantabat et Ossés. Et puis il vient de faire une astuce, il a dit : vous pouvez les distinguer à leur couleur, les uns sont en blanc et les autres aussi...

Le jeu est simple ; les deux équipes, face à face, se cramponnent à une longue corde, les deux derniers ceinturés par la boucle qui termine la corde. Au signal de l'arbitre, tous tirent jusqu'à ce qu'une équipe gagne en faisant franchir à l'autre la ligne qui les sépare.

Le public manifeste, pousse des invectives, siffle, applaudit, soutenant une équipe ou l'autre. Finalement c'est Ossés qui gagne, et Lantabat qui mord la poussière.

Les coureurs porteurs de sacs leur succèdent. Courir autour du stade un sac de grains de quatre-vingts kilos sur les épaules n'est pas une plaisanterie. Plusieurs concurrents abandonnent en route, laissant tomber leur charge.

— Voilà papa ! s'exclame Pampili qui se lève d'un bond.

— Assis, assis ! gronde le public.

Oui, c'est le tour des bûcherons. Ici on se bat contre un arbre qu'il s'agit de fendre avec le moins de coups de hache possible.

— Je parie pour ton père, dit Alain.

— Hé, tu ne le connais même pas ! rétorque Pampili, un peu moqueur.

— C'est le troisième à gauche, le plus grand, dit Manech.

Alain et François considèrent l'athlète d'un air admiratif. Avant de commencer, il échange des plaisanteries avec ses concurrents et affûte sa hache. Par blague, un concurrent fait mine de se raser les poils du bras avec la lame de sa hache. On frémit !

Ah, c'est au tour du père. Le cœur de Pampili bat très fort ; il cherche des yeux sa mère et ses sœurs et leur adresse des signaux.

Ça y est, le père a posé le pied sur le tronc et levé sa hache, et l'abat avec un « han » sonore. Le coup retentit dans tout le stade. L'arbre est fendu. C'est un point magnifique. Les spectateurs hurlent, agitent leurs bérets, se précipitent sur la pelouse. Personne ne pourra faire mieux. M. Etchegoyen est le vainqueur et le reste du jeu n'offre plus d'intérêt réel pour sa famille. Pourtant, il faut regarder jusqu'à la fin, ne serait-ce que par politesse.

— C'est chouette ces jeux, dit Alain.

— Autrefois, explique Manech, on y jouait après la moisson et le battage du grain. C'était dur, on faisait tout à la main, il n'y avait pas les machines. Alors les hommes étaient costauds, ils avaient des muscles ! Maintenant ils doivent s'entraîner pour pouvoir continuer ces jeux !

— Qu'est-ce qu'ils gagnent ? demande François.

— Mais... rien. Pourquoi veux-tu qu'ils gagnent quelque chose ? Ils s'amusent bien, c'est ça le sport.

— Ah, bon ! Mais pour qui est l'argent ?

— Quel argent ?

— Ben, le prix des places.

— Ah, oui... C'est pour aider ceux qui ont des malheurs, tu sais.

— Et nos glaces ? rappelle Alain.

Les garçons courent se rafraîchir. Pampili fait un détour par la pelouse où son père boit un coup avec les autres concurrents. Pampili pose la main sur les muscles durs. Son bras est bien fluet à côté de celui de son père, mais Pampili n'est pas très vieux.

— Tu sais, papa, moi aussi je serai aizkolari. Tu m'apprendras, dis ?

# 16

## Surprises à l'Artzamendi

L'Artzamendi, c'est la montagne aux ours. Oh ! bien sûr, on n'y trouve plus d'ours depuis longtemps. Ils ont été pourchassés par les bergers dont ils tuaient les brebis. Les derniers se sont réfugiés dans les hautes montagnes d'Aspe et d'Ossau, où de profondes forêts les abritent. Il n'en subsiste qu'un ou deux, paraît-il, dans la forêt d'Iraty. Mais personne ne les a vus.

— Dommage, dit Manech. Chasser l'ours, moi, ça m'aurait plu. Pan ! pan !

Il fait mine d'épauler un fusil.

— Moi aussi, dit Pampili pour ne pas être en reste.

Mais il n'a pas du tout l'âme d'un chasseur.

Le vieux berger qu'ils sont venus voir rit tout bas.

— Une fois, j'ai rencontré un ours...

— Où ?

Manech s'est levé d'un bond.

— Oh, très loin d'ici, dans la forêt d'Issaux. C'est en Béarn, il y a des gorges profondes, un peu comme à Kakouetta, tiens. J'y étais pour bûcheronner ; c'était l'automne, j'entends un froissement de feuilles, des grognements, je pense : « Tiens, un sanglier ! » Je me dresse, ma hache à la main à tout hasard : les sangliers sont mauvais coucheurs et s'ils se croient attaqués, ils foncent. Bon. J'attendais donc, pas tellement fier, les branches s'écartent et au lieu du sanglier je vois...

— Un ours ! s'écrie Pampili.

— Non pas. Une ourse et son petit, déjà grandet puisqu'ils naissent en hiver. Alors là, c'était vraiment dangereux...

— Qu'est-ce que vous avez fait ?

— Rien du tout. On s'est regardés... mes cheveux se sont hérissés et mon béret s'est soulevé tout seul de ma tête. Vrai, je n'invente pas. J'étais incapable de faire un pas en avant ou en arrière. La sueur me coulait de partout.

— Et l'ourse ? et l'ourson ?

— L'ourse a eu aussi peur que moi, elle a filé en grognant et en écrasant la broussaille, le petit la suivait. Moi, mes jambes trem- blaient, je n'au- rais pas aimé tâter de leurs griffes. Celles de la mère devaient être plus longues que ma main.

Manech est très déçu. « Si j'avais été là avec un makhila, songe-t-il, l'ours ne serait pas parti aussi facilement. Moi, j'aurais attaqué... »

— Tu penses des bêtises, dit le vieux qui devine.

Manech rougit et l'homme continue :

— L'ours est protégé, il n'y en a plus qu'une vingtaine dans les Pyrénées, on n'a pas le droit de les tuer. Mais tu pourras encore chasser le sanglier. Regarde ces traces !

On dirait que la terre a été labourée. D'énormes mottes de terre sont retournées.

— Les sangliers sont venus déterrer les oignons d'asphodèles, c'est leur régal ; mais ils abîment nos pâturages et j'espère qu'on fera bientôt une battue pour nous en débar- rasser. Ils sont trop nombreux, eux.

— On grimpe ?

Manech est un peu vexé et il a des fourmis dans les jambes. Pampili et lui ont laissé leurs vélos à la sortie de la forêt ; ils veulent gagner le sommet par les raccourcis. Salut, berger conteur d'histoires !

Les garçons progressent d'un bon pas. Des pottoks les observent, immobiles. Deux étalons s'affrontent ; leurs juments, près d'eux, ne bougent pas ; elles attendent la fin du combat.

— Les pottoks ont soif, dit Manech. Il n'y a presque plus d'eau dans les rivières et les puits ont tari. On n'a jamais vu un été si sec.

— Oui, les touristes sont bien contents.

— Pas nous. Le maïs souffre, et que vont devenir les bêtes ?

Mais Pampi ne répond pas ; il a brusquement disparu.

— Hou, hou ! crie Manech. Où es-tu ?

— Ici. Viens voir !

La voix de Pampili est un peu étouffée. Manech dégringole au fond d'un petit ravin que dissimulent quelques hêtres.

Tiens, une grange. D'en haut on ne la soupçonne même pas. La grande porte est fermée par un cadenas, mais une lucarne permet aux garçons de distinguer l'intérieur.

À l'intérieur il y a... une auto ! Une vieille guimbarde sans plaque et sans numéro. Le genre de celles qui servent de niches ou de poulaillers, près des fermes.

Comme celles-là, vraiment ?

Pas tout à fait.

— Vise les pneus, dit Pampili.

Instinctivement, il a baissé la voix.

Les pneus sont presque neufs et couverts de boue séchée.

Manech sifflote. Pampili se rappelle tout à coup le mystérieux colis de M. Bordegaray, le jour du fameux bain forcé...

Un chemin, bien caché sous les hêtres lui aussi, passe devant la grange.

— Tu vois, dit Manech, là-bas à un kilomètre, pas plus, c'est l'Espagne.

— La frontière ?

— La frontière, la frontière... Ici, on ne sait pas trop où elle est, comme disait l'aubergiste de Bidarray.

La voix de Manech est devenue moqueuse.

— Tu te crois en France, tu es en Espagne. Tu te crois en Espagne, tu es en France. Pour finir, ce qui est sûr, c'est que tu es toujours au Pays basque.

— Ça oui, approuve Pampili.

— N'empêche, vaut mieux s'en aller d'ici. On n'y aime pas tant les curieux.

Un bruit de pas met les garçons en fuite. Des contrebandiers en plein jour ? Impossible. Pourtant il est préférable de ne pas se montrer. À l'abri derrière un rocher ils assistent à l'arrivée... d'un pottok ! Tête basse, il cherche l'eau qui coule à peine dans le ruisseau.

— Ce n'est pas l'heure des contrebandiers, dit Manech. Il y a trop de monde dans la montagne.

C'est vrai. Là-haut brille une file d'autos. Les touristes sont montés au sommet de l'Artzamendi pour admirer les grands miroirs paraboliques qui retransmettent les télécommunications jusqu'au Portugal. Ils sont beaux, avec leurs armatures métalliques savamment enchevêtrées, ces miroirs. On dirait deux grandes ailes... et si la montagne s'envolait ? Elle traverserait l'Océan, elle irait jusqu'aux Amériques...

— Tu rêves, Pampi, active un peu !

Les deux garçons escaladent quelques rochers et atteignent leur but, la montagne du soleil, un peu au-delà des miroirs.

— On aperçoit la mer ! dit Pampili.

Immobile, il s'emplit les yeux de la mouvante nappe vert et bleu. Il respire à fond et s'imagine sentir les embruns venus du large avec le vent.

— Un Deltaplane ! crie Manech qui regarde de l'autre côté. Allons le voir atterrir.

Pampili en oublie — pour un moment — la mer et ses rêves. Les garçons déboulent à toute allure la pente raide. Une fois sur l'herbe rase, ils se servent de leurs bâtons comme freins et descendent en ramasse, accroupis ou sur leurs fonds de culotte.

— Ouf ! On y est presque, déclare Manech, hors d'haleine.

Couverts d'égratignures dont ils ne se soucient guère, les garçons se faufilent dans un dédale de rochers et arrivent dans un petit pré où broutent des brebis. Le Deltaplane s'y pose en douceur et les brebis s'écartent sans effroi. Elles doivent avoir l'habitude.

Le pilote sourit aux garçons en défaisant son harnais.

— Génial ! dit-il. Mon cent cinquante-troisième saut. Cet endroit est du tonnerre pour atterrir. Maintenant j'arrête, ma femme vient me chercher.

Il commence à replier son engin. Ça fait penser à un parapluie en plus grand, et en beaucoup plus compliqué. Les garçons auraient des tas de renseignements à demander, mais une Land Rover survient à grand bruit. Au volant, une jeune femme blonde, l'air décidé.

Ils sont partis. Déjà ! Les garçons n'ont vu qu'un vol, et encore pas le départ. Qu'importe, c'était chouette.

— Je serai pilote de Boeing, sûr. Et toi ?

Manech a découvert sa vocation. Mais Pampili est reparti en plein rêve. Il a traversé l'Océan, il galope là-bas dans la pampa, cette vaste plaine dont il porte presque le nom. Et son cheval, bien sûr, c'est Poïta.

# 17

## Les cousins d'Amérique

Décidément, la sécheresse devient catastrophique. Il n'y a plus d'eau dans les sources du Baïgoura. Et les hommes s'inquiètent pour les chevaux.

— Il va falloir transhumer notre harde, dit M. Bordegaray.

Il est soucieux. Cela représente du travail, des risques et des frais. Il faut d'abord trouver un haut pâturage bien arrosé où l'on acceptera les pottoks, puis louer des vans pour transporter les bêtes, et enfin ramener la harde au pied du Baïgoura. Tout cela n'est pas simple.

Enfin ça y est. Un paysan de Bielle accepte de prendre les pottoks dans son estive. Là-bas les névés alimentent encore les sources. Ouf !

Jean-Baptiste, Manech et Pampi sont partis un matin très tôt rassembler la harde. Il ne faut pas se tromper et en ramener une autre ! Heureusement les chevaux se sont rapprochés, cherchant l'eau qui leur manque cruellement. Ils seront moins difficiles à découvrir qu'au mois de mai.

En effet, Jean-Baptiste reconnaît bientôt le son de la cloche de la jument-guide. Il ne peut pas se tromper ; c'est lui qui l'a choisie, cette cloche, à la dernière foire de Pâques. Il en avait fait tinter longuement plusieurs, avant de se décider pour celle-là dont le son s'entendait de loin.

Il a emporté une longue corde terminée par une large boucle. Il fait signe aux garçons de rester immobiles et se dirige seul vers la harde, sans bruit, sans geste. D'une main sûre, il a lancé le lasso. La jument-guide est prise ! D'abord elle se cabre et hennit, essayant de se libérer. Puis elle se calme et Jean-Baptiste s'avance vers elle à pas prudents, raccourcissant la corde qui le relie à la jument.

— Tiens, tiens, ma belle, n'aie pas peur.

Il lui parle doucement, sans arrêter, d'un ton égal et en basque, bien sûr. Il lui tend sa musette, pleine d'avoine. La jument la flaire, puis y fourre son museau. Le reste de la harde s'est immobilisé, enfin quelques pottoks curieux se hasardent en direction de Jean-Baptiste, qui leur jette des poignées d'avoine.

Puis Jean-Baptiste remplace prestement le lasso par une longe autour du cou de la jument et la flatte de la main tout en continuant à lui parler.

— En route, dit-il du même ton. Vous, les garçons, passez derrière, vous rabattrez les bêtes qui traîneront.

Mais la harde entière suit la jument-guide. Pampili est émerveillé. Pour la première fois il voit au grand jour et de tout près les libres pottoks. Les poulains trottinent près des mères. Ils sont encore plus petits que Poïta lorsque Manech et Pampili lui ont sauvé la vie. À peine plus hauts qu'un gros chien, ils secouent leurs grosses têtes avec des gestes maladroits et paraissent toujours rire de leur bouche largement fendue.

Les vans, remorqués par des Land Rover, attendent à côté de la petite chapelle.

Toute la famille est venue assister à l'arrivée des pottoks. On leur offre de l'eau claire. Ils boivent à longs traits, les poulains bousculent les seaux ; ils ne savent pas ce que c'est et gaspillent l'eau précieuse. On les laisse faire pour ne pas les effaroucher.

Les filles s'exclament devant ces minuscules chevaux.

— Oh, les amours !

— Taisez-vous ! dit un peu rudement leur père.

Il ne s'agit pas d'effrayer les bêtes ; ce sera déjà assez laborieux de les faire entrer dans les vans ! Et il faut éviter les ruades des pottoks affolés.

Tous les hommes s'y mettent. Les enfants sont envoyés à l'abri de la haie. Manech seul est autorisé à aider les hommes. Pampili est furieux d'être relégué avec Isker et les filles. Il fait sa figure des mauvais jours. Mais M. Bordegaray ne se soucie guère d'avoir à ramener Pampili chez lui avec un bras ou une jambe cassés !

La caravane s'ébranle. Des hennissements terrifiés sortent des vans qui roulent très lentement pour éviter les chocs.

Ils ont disparu au tournant du chemin. Ils ont devant eux un long trajet jusqu'aux pâturages aériens de la vallée d'Ossau. Ah, si on pouvait les suivre ! Mais il ne faut pas de charge inutile.

On ira rechercher les petits chevaux à l'automne, avant les premières chutes de neige. Si c'est jour de congé, Manech et Pampili seront peut-être du voyage...

Ils agitent leurs bérets.

— Bon été, là-haut, les pottoks !

— Tu sais, Poïta, je dois rentrer à la maison. On attend les cousins d'Amérique.

Pampili cause avec Poïta qui secoue la tête et hennit.

— On se quitte pour quelques jours. Sauf s'ils ont envie de faire ta connaissance, bien sûr.

Poïta s'assied et tend sa patte d'un air sérieux. Qu'elle est drôle ! Pampili éclate de rire.

— Oui, tu veux voir les cousins. D'accord, je te les amènerai.

Deux coups de klaxon, c'est pour lui. L'an prochain on lui permettra de venir à vélo, ce sera bien plus pratique. Grand-père va lui offrir un vélo neuf, avec toutes les vitesses, pour son entrée en sixième.

À la maison, c'est la grande agitation. Maman plume des poulets et des canards et distribue ses ordres. Mayalen surveille la cuisson à la broche de l'immense gâteau.

— Prends ma place, dit-elle à Pampili, je vais faire la crème.

Pampili empoigne la louche et surveille la grosse broche de bois qui tourne lentement. À chaque tour il verse un peu de pâte sur le gâteau qui croustille. Ça sent drôlement bon ! Quelle chaleur... La figure de Pampili ruisselle.

Papa débouche de nombreuses bouteilles. Le couvert est mis dans la grange, sur les tables à tréteaux recouvertes des belles nappes de lin tissées par l'arrière-grand-mère.

Les hors-d'œuvre sont préparés dans de grands plats. Jambon et pâté alternent avec les tomates, coupées en tranches épaisses, assaisonnées d'oignons et de piments verts. C'est joli et ça donne faim. Pampili abandonne son gâteau et va chiper un bout de jambon.

— Pampili, ne touche pas aux plats. Tiens, coupe plutôt le pain !

Elles ont l'œil à tout, ces femmes. Pampili a de plus en plus chaud et de plus en plus faim. Toute la famille va enfiler ses habits du dimanche, mais les hommes gardent leurs espadrilles et Pampili aussi.

Voilà les cousins ! Ils viennent de San Francisco et n'ont pas oublié le basque mais ils ont un drôle d'accent, l'accent américain. Les enfants rient sous cape en les entendant et maman leur fait les gros yeux, ce n'est pas poli de se moquer.

On a réuni la famille ; ceux d'Arhansus et ceux d'Ostabat. Trente personnes en tout s'installent autour des longues tables. Les enfants se groupent à un bout. D'abord intimidés, ils font vite connaissance. Les jeunes Américains racontent leur pays : les grands buildings, les grands espaces, les ponts d'un kilomètre de long, les rues qui n'en finissent pas... les énormes montagnes... Pour eux le Pays basque est minuscule : tout y est petit, les gens, les maisons, les propriétés, les villages, les montagnes...

— Et les chevaux ! dit Pampili.

Mais les jeunes Basques sont tout de même un peu vexés et ripostent. Pampili parle de Poïta : ah, même en Amérique elle n'a pas sa pareille ! Les petits Américains sont impressionnés, il leur tarde d'aller la voir. D'accord, on ira demain.

Maintenant on chante ; les hommes ont bien bu, papa et le cousin se défient et improvisent

tour à tour des petites chansons moqueuses.
C'est l'usage à la fin des repas. Papa commence :

> *Il y a une pomme rouge sur le pommier*
> *Il y a une rose rouge sur le rosier*
> *Il y a des âneries dans ta bouche !*
> *Chiquito !*

et le cousin répond en riant :

> *Un bon cheval mérite une caresse*
> *Un sage reçoit des mots de sagesse*
> *Et mes âneries sont pour toi !*
> *Chiquito !*

Tous les enfants rient, applaudissent et
crient « chiquito » en frappant dans leurs
mains pour en demander d'autres.

Mais l'oncle d'Ostabat qui a une si belle voix
fait verser une larme en chantant seul le chant
de la maison :

> *Vous la voyez au clair matin*
> *Quatre grands chênes l'encadrant*
> *Devant la porte un vieux chien blanc*
> *Une fontaine tout auprès*
> *C'est là que je vis dans la paix.*

— Je voudrais tant revenir au pays pour tout à fait, murmure la tante de San Francisco à l'oreille de maman. Mais nous ne trouverions pas de travail. Là-bas la blanchisserie marche bien... et les enfants sont américains.

Son mari lui fait un signe encourageant à travers la table, il a deviné ce qu'elle disait.

— On reviendra pour la retraite.

Il ne faut pas s'attendrir. La jeunesse réclame à danser et Piera enfile la bretelle de son accordéon. En avant la musique ! Les jeunes filles envoient promener leurs souliers à talons et enfilent des espadrilles. Tandis qu'on apporte de nouveaux plats, danses modernes et anciennes se succèdent. Les enfants courent autour des tables. Puis tout le monde se rassied pour le dessert et le café.

Plus tard, les hommes vont faire le tour des champs avant de se mettre aux cartes. Les femmes rangent en bavardant, les enfants jouent à roule-barrique dans le grenier à foin, et, quand ils sont fatigués, se posent des devinettes et des charades.

On danse, mange, chante et joue au muss jusqu'au matin. L'an prochain, les parents sont invités à San Francisco, voyage payé, pour le mariage de l'aînée des nièces.

— Bah ! dit maman, avec l'avion ce n'est rien du tout.

En attendant, Pampili veut emmener ses cousins voir Poïta au soleil levant. Pourquoi pas ? Les amateurs s'entassent dans la grosse voiture louée par les Américains pour leur séjour en France. On est vite à Hélette. Et même les habitués des ranchs restent bouche bée devant Poïta. Jamais ils n'ont vu de cheval aussi petit et aussi joli !

Poïta est seule au pré, les brebis sont encore au pâturage d'été en Espagne, vers Valcarlos.

Elle paraît flattée de l'intérêt qu'elle suscite et déploie tous ses talents : s'élancer à fond de train et s'arrêter pile devant Pampili — trouver la pomme dans sa poche et saluer pour dire merci s'asseoir et donner la patte. Ce dernier numéro lui vaut un franc succès et tous les enfants défilent dans l'herbe humide pour serrer son sabot !

Puis soudain Poïta en a assez. Elle secoue sa crinière et sa longue queue et galope vers la haie du fond. Le dos tourné aux visiteurs, elle pousse un petit hennissement plaintif.

— Elle appelle sa mère, dit Gratiane qui s'est jointe aux visiteurs.

— Sa mère ?

— Oui. Sa mère fait partie de notre harde de pottoks libres. On n'a pas pu remettre Poïta avec elle après son accident ; Poïta était malade et nous devions la soigner. Mais quelquefois la mère lui rend visite le matin, très tôt. C'est joli de les voir se caresser par-dessus la barrière.

— Seulement, dit Pampili, on a dû envoyer la harde en haute montagne, au Baïgoura il n'y avait plus une goutte d'eau. Alors Poïta est triste, quelquefois. Mais nous l'aimons, nous.

Il la cajole doucement, avec des mots câlins. Son regard a croisé celui de Gratiane qui passe son bras autour du cou de Poïta. Clac ! une photo est prise, « pour le souvenir », dit l'oncle.

— Vous nous l'enverrez, dit Gratiane.

Tout le monde veut être photographié avec le petit cheval. Pampili a raison, même en Amérique Poïta n'a pas sa pareille.

# 18

## Vagabondages d'automne

Encore un jour de liberté pour courir les bois. Pas besoin de garder les brebis aujourd'hui.

Tôt levé, vêtu d'un short et d'une chemisette presque en guenilles, et chaussé de silencieuses espadrilles, Pampili se sent prêt à toutes les découvertes. Sa sœur est maintenant admise à le suivre, depuis que Gratiane lui a donné l'exemple en montant au Baïgoura avec les hommes.

— Tu viens ? Les autres doivent nous attendre, s'écrie Pampili.

Maman intervient :

— Mayalen m'aide au ménage et si tu faisais les lits avec elle, elle serait libre plus vite.

Pampili s'exécute de bonne grâce. Son père rit bruyamment.

— Autrefois on n'aurait pas vu ça, constate-t-il. On avait chacun son travail. Aux femmes le ménage et la maison.

La mère hoche la tête. Oui... mais le travail des hommes débordait sur celui des femmes. Sa mère à elle fauchait la fougère et mangeait debout, prête à servir plus vite les hommes.

Pampili et Mayalen ont filé. Ils retrouvent sur le chemin Anne-Marie, Michel et Joannès. Ils veulent aller dans les bois en grimpant vers le col. Il y a beaucoup à explorer par là.

« Tâchez de rapporter des cèpes, a recommandé maman, il paraît qu'ils commencent à sortir. »

Ils trottent d'un pas vif, en file indienne. Un énorme chêne les arrête un moment. La base du tronc est percée d'un large trou. L'arbre est creux, une fine poussière brune le tapisse.

— C'est du tan, explique Anne-Marie.

C'est avec ça qu'on faisait les souliers dans l'ancien temps.

— Avec ça ? (Joannès se touche le front) : Tu n'es pas un peu toc-toc, par hasard ?

— Pas du tout. La maîtresse l'a dit. Même qu'on vendait les souliers jusqu'en Amérique, alors ?

— Bah, intervient Michel, tu n'as rien compris. Le tan servait à assouplir le cuir ; on le mettait dans l'eau et on y plongeait les peaux, très longtemps. Ça sentait salement mauvais.

Pampili a disparu pendant la discussion. Il appelle :

— Hou-hou ! Je suis un hibou !

Il est monté à l'intérieur de l'arbre creux et s'est perché à la fourche des grosses branches. Aussitôt ses copains veulent en faire autant.

— Moi d'abord...

— Non, moi.

Les filles hésitent.

— Tu es dégoûtant, Pampili, dit Mayalen. Évidemment, Pampili a pris la couleur du tan !

— Ça va me permettre de me cacher, rétorque-t-il, très à l'aise. Je suis l'homme invisible.

Joannès et Michel l'ont rejoint, ils explorent les branches les plus proches.

— Si on s'arrête déjà on n'arrivera jamais, constate Mayalen.

— C'est vrai, on reviendra plutôt.

Ils ont quitté le chemin pour prendre un sentier qui se faufile en évitant les buissons de ronces. Il y a des mûres : grosses, noires, personne ne vient les cueillir.

— Même pas les renards, dit Anne-Marie. Pas de rage, on peut en manger tant qu'on veut.

Les garçons, déjà tachés de marron, sont maculés du jus violet foncé des fruits. Les filles font plus attention.

— J'en ai un ! crie soudain Joannès.

Les autres ont compris et cherchent au pied des châtaigniers. Les premiers cèpes sont sortis, grâce à la pluie d'avant-hier.

— Où les mettre ?

— Cachons-les sous des fougères, on les reprendra au retour.

— Souvenez-vous bien, dit Joannès, je fais une marque avec mon couteau sur ce châtaignier, les champignons sont camouflés derrière. Allons-y !

Et voici qu'on entend des coups sourds. On dirait des coups de hache. Qui est là ? Ils se croyaient pourtant seuls, dans cette forêt.

— Les laminaks ! chuchote Mayalen, effrayée. Rentrons...

— Les lutins ne sont pas méchants, affirme Anne-Marie. Tu sais bien qu'ils sont serviables et gentils si on ne les dérange pas.

— Et en plus, ils n'existent pas ! ajoute Joannès, définitif.

— Oh ! ça...

Ça, Mayalen n'en est pas sûre.

Comme pour lui donner raison les coups redoublent, plus forts, plus scandés.

— Allons-nous-en, gémit Mayalen. Il ne faut pas gêner les laminaks !

Les autres hésitent. Pampili bondit alors :

— Que je suis bête ! je le savais, pourtant. Ce sont les hommes de Lantabat qui refont la palombière. Mon père devait y aller.

Dès lors, tout devient facile et gai. Un moment après, la petite troupe atteint le col. Quelques hommes armés de scies et de marteaux, des clous plein la bouche, travaillent en blaguant (les clous ne les gênent pas !). Ils sont en train de réparer la longue échelle qui mène à la palombière, jolie petite cabane construite en haut d'un chêne immense.

C'est là qu'en octobre et jusqu'à la Saint-Martin les chasseurs viendront se mettre à l'affût quotidiennement. Leur passion remonte loin, très loin, au temps où les hommes chassaient pour se nourrir. Maintenant ils restent des heures à guetter les vols des oiseaux bleus qui arrivent de Suède, font halte pour manger des glands et repartent vers l'Afrique où ils passeront l'hiver.

Mayalen fait un vœu, tout bas, pour que les palombes ne s'arrêtent pas ! Tout bas, car son père ne serait sûrement pas d'accord et se moquerait d'elle.

— Hé, d'où sortez-vous, les gosses ?

— Du bois. On a trouvé des cèpes, annonce Pampili. On pourra monter à la palombière, dis ?

— Bah ! tu vois bien que nous changeons presque tous les barreaux. Vous feriez vite la culbute.

Le père boit un coup à sa gourde et la tend à ses compagnons ; comme les pâturages, la palombière est communale et tous les chasseurs travaillent à son entretien.

Les enfants sont déjà repartis. Pas de laminaks, mais la présence rassurante des hommes. Et après les cèpes, les premières châtaignes. Les bogues piquantes d'un châtaignier précoce sont tombées, laissant échapper les fruits brillants, pas tout à fait mûrs.

— On les fait cuire ? propose Joannès.

— D'accord, mais pas n'importe où. S'agit pas de flanquer le feu !

Tous les petits bergers savent faire un feu modeste, qui ne s'éteindra pas. Un feu entre trois pierres, faciles à ramasser dans ce pays qui en produit « deux récoltes par an », dit-on parfois pour rire. Michel a des allumettes, on casse du bois mort « cueilli » aux arbres (il est plus sec que celui qui est à terre), on ajoute aussi de la mousse qui recouvre l'écorce des chênes. Et les châtaignes, fendues, sont jetées dans la braise.

— C'est trop long d'attendre, déclarent les filles, il fera nuit avant qu'elles soient grillées.

Tant pis, on les mangera à moitié cuites. Tous se régalent. Mais le jour baisse, c'est vrai. Mayalen ne tient pas à coucher dans la forêt, laminaks ou pas...

— Il faut rentrer, dit-elle, sinon on va se faire disputer.

Avant de partir, il convient de disperser les dernières braises. Pour plus de sûreté les garçons arrosent le feu mourant. Pas d'eau bien sûr, mais chacun ne dispose-t-il pas d'une source personnelle ? Quelques mottes de terre là-dessus et bien malin qui devinerait qu'il y a eu un feu.

On descend le sentier en chantant à tue-tête, des châtaignes plein les poches et les bérets, des cèpes enfilés sur de longues tiges de fougères. On a faim, on a sommeil, on n'en peut plus.

— À demain, à demain ! crient Pampili et Mayalen aux copains qui s'éloignent en trébuchant.

Demain, c'est la rentrée.

# 19

## Pourra-t-on sauver les petits chevaux ?

— Par ici, par ici, Pampili !

Pampili saute sur le marchepied du car de ramassage. Le car s'arrête à peine, il doit faire plusieurs haltes, car il dessert plusieurs communes. Son trajet est un véritable zigzag ; et les premiers « ramassés » sont obligés de se lever très tôt. La journée est longue jusqu'à six ou sept heures du soir.

Naturellement Pampili n'a plus le temps de rendre visite aussi souvent à Poïta. Pourtant, tous les quinze jours il enfourche son vélo neuf et file. C'est un plaisir. En une heure il est à Hélette. Poïta lui fait fête. M. Bordegaray aussi paraît toujours très content lorsque Pampili apprend de nouveaux tours à la petite pouliche. Même sa femme est plus aimable et propose : « Tu restes coucher ? » Pampili ne dit jamais non.

Et puis il voit aussi Manech et Gratiane qui sont au C.E.S. d'Hasparren. Quel dommage qu'on ne puisse pas se retrouver en classe !

Mais ce samedi soir d'octobre, Pampili est rentré directement chez lui.

— Tiens, dit grand-père, voici déjà notre Pampilloun. Il ne revient jamais aussi tôt d'Hélette.

Grand-père s'assied près du feu que maman vient d'allumer. Son chien se blottit contre lui.

— Quel froid ! Ce n'est pas normal pour la saison, on dirait qu'il va neiger, je le sens dans mes os.

— Il est passé un vol de grues, dit maman, l'hiver sera vite là.

— Et les palombes ne vont pas tarder...

Pampili entre en trombe.

— Oh, maman ! il est arrivé un grand malheur !

— Quoi ? que dis-tu ? quel malheur ?

— Tu sais, les pottoks des Bordegaray, ceux qu'on avait envoyés à la montagne... Eh bien, il a neigé là-haut...

— Je le pensais, interrompt grand-père.

— Il a beaucoup neigé, personne n'y comprend rien. Et les pottoks sont bloqués, on ne sait pas comment on va les sauver. Ils vont mourir de faim et de froid !

— Mais non, dit grand-père, c'est résistant un pottok. Imagine, ils sont habitués à rester tout l'hiver dehors.

— Oui, mais cette montagne où ils sont est bien plus haute que les nôtres. Au Baïgoura il ne neige pas beaucoup, ça fond vite. Tandis que là-bas la neige a rapidement un mètre d'épaisseur. Qu'est-ce qu'on va faire ?

Pampili en pleure presque. C'est une catastrophe pour ses amis.


À Bielle, en vallée d'Ossau, c'est le branle-bas de combat. La gendarmerie de montagne est alertée, l'hélicoptère de la protection civile s'est envolé. On l'entend bourdonner ; il survole successivement tous les vallons où les chevaux peuvent s'être réfugiés.

Jamais, de mémoire d'Ossalois, la neige n'est tombée si tôt et en si grande quantité.

M. Bordegaray, Jean-Baptiste et quatre voisins sont arrivés. Ils attendent avec les guides de haute montagne, prêts à se mettre en route pour essayer de sauver les pottoks. Mais si ces derniers sont à l'abri des arbres, le pilote aura beaucoup de mal à les voir.

Heureusement la neige a cessé ; cependant, le ciel reste gris et bas. Il fait froid. L'hélicoptère tourne, monte, descend, inlassablement, explorant les moindres ravines. La montagne est immense..., où la harde s'est-elle cachée ?

En bas, sur la place, Jean-Baptiste surveille les évolutions de l'appareil. Les hommes sont attablés devant un café, ils fument en silence. Le temps passe, les visages s'assombrissent. Faut-il perdre tout espoir ?

Soudain un cri :

— Venez vite, le voilà !

L'hélicoptère se pose dans un grand sifflement de pales. Le pilote saute à terre, gelé mais tout joyeux.

— Brrr... quel froid là-haut ! Ça y est, nous les avons repérés contre un bois de hêtres. Il est trop tard pour y aller ce soir, mais on va remonter leur jeter quelques bottes de foin ; demain on organisera l'expédition pour les redescendre ; ce ne sera pas facile mais on les tirera de là, sûr.

Les Basques se dévisagent sans un mot, trop émus pour parler. Vite, on fait la chaîne pour embarquer les balles de foin dans l'héli-coptère.

Le pilote regarde Jean-Baptiste.

— Tu m'accompagnes. À mon signal, tu largueras les balles.

Ça c'est trop beau ! Quand il le racontera à la maison... Il voit déjà la tête de Manech et de Pampili !

Dans la neige fraîche et déjà profonde, la longue caravane progresse lentement.

Les guides se relaient pour faire la trace. C'est un travail épuisant. Tous les hommes portent des cordes dans leur sac à dos et des musettes d'avoine en bandoulière.

En plusieurs voyages, l'hélicoptère a pu les rapprocher des chevaux ; pas trop, pour ne pas effrayer les bêtes et risquer de les dis-perser. Il faut maintenant ramener la harde dans la vallée.

Ils sont là, les pottoks sauvages, serrés autour de la jument-guide. Tête baissée, ils ne bougent pas. Les branches dénudées montrent qu'ils ont brouté les feuilles de hêtres, comme ils le font en hiver lorsque l'herbe est rare sur le Baïgoura.

M. Bordegaray les compte rapidement.

— Il en manque seulement deux, dit-il.

Il est soulagé car il craignait bien pire. Les poulains sont tous là ; ils ont grandi mais se blottissent encore contre leurs mères.

Heureusement les petits chevaux se laissent encorder l'un à l'autre sans résistance. Inutile d'attacher les poulains, ils suivront leurs mères ; de même l'étalon, qui rue dès qu'on s'avance vers lui ; il ne quittera sûrement pas ses juments.

Et maintenant, en avant pour la descente. Les pottoks vont-ils vouloir démarrer ?

Tout d'abord ils résistent, terrorisés, et s'arc-boutent sur leurs quatre pieds. Les hommes les encouragent, leur parlent en basque, et les chevaux se rassurent un peu. Jean-Baptiste offre un croûton de pain à la jument-guide qui s'ébranle pour l'attraper. Les autres lui emboîtent le pas. C'est parti !

Les guides précèdent la caravane, déblayant parfois la neige avec leurs larges pelles. De temps à autre un homme ou un cheval dérape et s'étale, englouti par la neige fraîche. On entend des jurons, des hennissements terrifiés.

— Je suis crevé ! dit Jean-Baptiste après une nouvelle chute.

On fait la halte, les hommes se passent la gourde de thé additionné de rhum et on distribue une poignée d'avoine aux chevaux.

Puis la marche épuisante reprend.

L'hélicoptère accompagne les sauveteurs. Sa présence leur donne du courage. Le pilote laisse pendre un filin terminé par une boucle en sangle. Il est prêt à transporter un cheval ou un homme qui se blesserait ou ne pourrait franchir un obstacle.

Justement un poulain s'écroule. Il halète, son cœur bat très fort ; sa mère le lèche et le pousse pour le remettre debout, mais le petit pottok la regarde d'un air de reproche qui semble dire : « Tu vois bien que je ne peux pas ! »

Les hommes font signe à l'hélicoptère qui approche doucement et s'immobilise au-dessus du convoi. On attache la sangle autour du poulain, puis l'hélicoptère s'élève. La mère est affolée, elle hennit et se cabre avec fureur. Mais le petit n'a même plus la force de lui répondre ni de se débattre ; sa tête et ses pattes pendent comme ceux d'une poupée de chiffons.

Il sera le premier en bas, accueilli avec enthousiasme par les villageois qui ont suivi avec des jumelles les péripéties de la fin du voyage. On le frictionne, on lui fait boire du lait tiède dans un seau et on le met sur une bonne litière de paille, dans une étable où il s'endort sur-le-champ.

Deux heures plus tard, sa mère et toute la harde l'ont rejoint. Hommes et chevaux sont épuisés mais heureux. Tout le village veut les recevoir, les nourrir, les héberger. Basques et Béarnais fraternisent. Les guides refusent d'être payés.

— On ne va pas prendre vos sous pour avoir tiré de là ces beaux petits chevaux ! L'argent, ça va pour les touristes qu'il faut hisser au pic d'Ossau.

— L'an prochain, promet M. Bordegaray, je vous amènerai un poulain pour vos gosses. Ça se dresse facilement.

— Là, d'accord. J'ai trois gamins qui seront ravis, et leurs copains avec eux.

Demain, après une nuit de repos, hommes et pottoks monteront dans les vans pour regagner leur Baïgoura.

# 20

## « Ce n'est pas vrai,
## tu as menti ! »

Les pottoks ont repris leur vie de liberté sur le Baïgoura. On les a laissés tranquilles après leur sauvetage mouvementé. Ils galopent dans les landes fleuries de bruyère rose où l'automne a doré la fougère. Les hêtres ont passé par toutes les couleurs, du jaune pâle au brun roux, avant de perdre leurs feuilles et leurs faînes que les écureuils ramassent et cachent.

Les cochons errent, presque aussi libres que les pottoks, et s'empiffrent de glands et de châtaignes. Ils rencontrent parfois leurs cousins les sangliers, et font bon ménage. La plus grosse truie d'Hareguia a même eu l'an dernier une portée de marcassins, velus et rayés ! Quelle surprise. On venait les voir de partout et ils ont trouvé preneurs à un bon prix.

— Dans quinze jours c'est la grande foire d'Espelette, dit M. Bordegaray. Il va falloir rassembler la harde. Je voudrais vendre quelques jeunes, et il y a plus d'acheteurs à Espelette qu'à Hélette.

Pampili est là ; il ne comprend pas bien.

— Les vendre ? Mais pourquoi ? demande-t-il.

— Pour qu'ils travaillent, bien sûr. Crois-tu donc qu'ils restent leur vie entière à courir dans la montagne ? À quoi serviraient-ils ?

— À faire joli ! dit Pampili.

C'est parti d'un trait et il devient tout rouge. On rit et on l'imite : « À faire joli... à faire joli ! »

Le père de Manech est demeuré silencieux. Il explique :

— Nous garderons les juments et l'étalon, évidemment. Il le faut, pour que des jeunes naissent tous les ans. Mais nous emmènerons la jument-guide pour conduire les jeunes. Vous pourrez m'aider à rabattre la harde.

— D'accord.

— Et puisque c'est jour de congé, vous m'accompagnerez aussi à Espelette. Ça t'intéressera, Pampili. Tu verras la plus grande foire aux pottoks. J'en ai vu jusqu'à six ou sept cents.

Pampili trouve M. Bordegaray bien aimable, aujourd'hui. Il en profite.

— Mais à qui les vend-on, et quel travail peuvent-ils faire ?

— Autrefois ils étaient achetés par des maquignons italiens. À cause de leur petite taille, on leur faisait tirer les chariots dans les mines de charbon.

Dans les mines, où tout est noir, ces chevaux libres, habitués à courir la montagne... quelle tristesse !

— Parfois aussi ils tiraient les petites voitures de laitiers dans les rues.

— Et actuellement ?

— Pendant un temps on a cru que c'en était fini d'eux. Ils causaient beaucoup d'accidents en débouchant brusquement sur les routes, la nuit, devant les phares. On a même interdit de les élever dans la lande d'Hasparren, parce qu'elle est traversée par une route à grande circulation et qu'il est impossible de tout clôturer.

— C'est injuste ! dit Pampili.

— Oui. Heureusement, le cheval est maintenant à la mode chez les riches, et les pottoks sont très demandés pour les enfants. Des maquignons viennent de très loin pour les acheter : Ardèche, Bretagne, Massif central, Espagne. Tu verras leurs énormes camions à compartiments.

— Mais les pottoks ne sont pas dressés, on ne peut pas les monter !

— Non, ce sont des éleveurs spécialisés qui s'en chargent avant de les revendre aux maîtres de manèges ou aux particuliers. Ici nous n'avons pas le temps, tu penses bien.

— Sauf pour Poïta !

M. Bordegaray a un petit sourire.

— Oui, avec ta pouliche tu as réussi un joli tour de force. Mais nous, nous avons bien assez à faire sans nous occuper des pottoks. Ils naissent, s'élèvent et se nourrissent tout seuls. Bon, assez causé, au travail.

Pampili est tout fier de cette longue conversation et du compliment sur le dressage de Poïta. Manech le regarde, à la fois moqueur et apitoyé. Mais il ne dit rien, pour le moment. Il attend la nuit.

— Tu sais pourquoi mon père veut t'emmener à Espelette ?

Dans le grand lit, les deux garçons chuchotent.

— Non. Pourquoi ?

— Il pense que c'est toi qui feras le mieux valoir Poïta. Il va te charger de la présenter aux clients. Je l'ai entendu qui le disait à maman.

Pampili a bondi.

— Poïta ? Il va vendre Poïta ?

— Tais-toi. Oui, il disait : « Tu vois bien que les enfants en ont fait un cheval savant. Jolie comme elle est, on en tirera un bon prix à la foire. »

— Ce n'est pas vrai ! Tu mens...

— Moi ? Et pourquoi veux-tu que je te mente ?

— Pour me faire enrager, tiens !

— Si tu ne me crois pas, demande au père. Tu verras bien ce qu'il te dira. Je te jure que si on lui propose un bon prix, il va la vendre. Moi aussi, tu sais, je la regretterai.

Pampi demeure sans voix. Il sent que Manech dit vrai.

Il n'avait jamais envisagé cette conclusion, pourtant inévitable. Tout le monde disait : « Ton pottok », il avait fini par y croire.

On va vendre son cheval, son ami. Un pottok vaut beaucoup d'argent. Les Borde-garay ne sont pas riches, tout doit rapporter. Et Pampili n'aura jamais assez dans sa tirelire pour acheter un pottok qui ne servirait qu'à s'amuser.

Il n'y a rien à faire. Poïta comme lui-même doit suivre sa destinée. Et ces deux destinées vont déjà se séparer.

Manech s'est endormi. Sous le drap, Pampili sanglote. Il est dur de perdre un ami. Mais personne ne verra son chagrin. Un Basque de onze ans porte ses fardeaux tout seul. Et ne reste pas sur une déception.

Au matin, sa décision est prise et il en fait la confidence à Gratiane : il partira comme berger en Amérique, dans la Sierra Nevada, là où l'on surveille des troupeaux de milliers de moutons. Il gagnera beaucoup d'argent et il reviendra vite au pays. Avec son argent il achètera beaucoup de pottoks et il les lais-sera courir libres dans la montagne, toute leur vie.

— Tu as raison, dit Gratiane, qui a pleuré en cachette elle aussi, lorsqu'elle a su que la petite jument allait partir. Et moi, je t'aiderai, mon Pampilloun.

Il tressaille à l'affectueux diminutif. Il n'est pas seul comme il l'imaginait.

Mais peut-être que personne ne voudra de Poïta, demain ? Une petite espérance lève dans le cœur des deux amis.

# 21

## *Il est dur de perdre un ami*

Cinq pottoks ont rejoint Poïta dans l'enclos. Ils sont du même âge qu'elle, leurs queues ne balaient pas encore la terre.

Poïta est très intéressée par ses nouveaux compagnons. Les garçons l'ont soigneusement étrillée, ont brossé sa crinière et sa queue. Gratiane lui a fait deux petites tresses garnies de perles comme c'est la mode pour les filles. Pas question de faire la toilette des autres poulains, trop sauvages pour qu'on les touche. Ils garderont leur aspect hirsute, Poïta paraît une élégante auprès d'eux.

On part tôt pour éviter les encombrements. La jument-guide monte la première dans le van. Les poulains la suivent, y compris — le cœur de Pampi se serre — la mignonne Poïta.

Les garçons demeurent avec elle pour la protéger de ses turbulents cousins.

Mais les libres pottoks ne comprennent pas ce qui leur arrive et se collent à la jument brune pour se rassurer.

Voici le village d'Espelette. En été tous les balcons bruns sont garnis de guirlandes de piments rouges qui sèchent et donneront une poudre poivrée pour en frotter les jambons à conserver.

Il faut ranger le van dans un parking et faire descendre les chevaux, la jument-guide toujours en tête.

De tous côtés surgissent des chevaux : bais, roux, bruns, petits, grands... Aucun n'est aussi joli que Poïta et chacun l'admire, marchands, acheteurs curieux. Pampili qui tient son licol se redresse, tout fier.

Devant le fronton, M. Bordegaray paie le droit de plaçage.

— Promenez-vous un peu, les garçons, la vente n'est pas encore commencée.

Les garçons s'amusent au spectacle de la foire. Les pottoks ne sont pas seuls. Il y a toute une rangée de poneys Shetland venus du Poitou, des poneys des barthes[1] de l'Adour qui ressemblent aux pottoks, des ânes de différentes tailles, des mules à pompons rouges...

Tout cela hennit, brait, crotte, tandis que paysans et maquignons discutent en finassant. On se montre les gens importants : le directeur des haras, le maire de Sare, grand protecteur des pottoks, le vétérinaire en chef du département.

Dix heures. La vente est ouverte. Les garçons reviennent auprès du père qui garde Manech avec lui et confie Poïta à Pampili.

Pampili observe les maquignons. Ils ne lui plaisent qu'à moitié. Ils palpent les bêtes, leur relèvent la queue ou examinent leurs dents sans trop de douceur.

Un jeune homme tire la longe d'un pottok, lutte avec lui et finalement tombe à la renverse. Sous les éclats de rire de l'assistance. Puis un gamin fait du rodéo sur une bête qui n'a jamais été montée. Il a parié de tenir deux minutes sur son dos, mais au bout de trente

---

1. Bords de l'Adour à demi marécageux.

secondes il passe par-dessus l'encolure de sa monture qui s'éloigne en s'ébrouant.

Les pottoks de M. Bordegaray sont très entourés. On sait que la race du Baïgoura est restée pure. Poïta attire particulièrement l'attention. Des touristes les photographient.

Après de longs marchandages, tous les autres pottoks sont vendus. La jument brune est menée dans un enclos en attendant le départ. Si on ne la ramenait pas au Baïgoura, elle y reviendrait d'ailleurs toute seule.

Poïta n'a pas trouvé d'acquéreur. Son propriétaire en demande cher et personne ne se décide à verser la forte somme. L'espoir renaît dans le cœur de Pampili.

— Si on pouvait te ramener ! lui dit-il tout bas.

Poïta a faim et fait la belle pour demander un morceau de sucre à Pampili. Les badauds applaudissent. Encouragé par ce succès, Pampili la fait saluer et donner la patte. Tout le monde rit, un petit attroupement se forme.

— C'est toi, mon garçon, qui a dressé cette pouliche ?

L'accent est étranger. Pampili, intimidé soudain, fait oui de la tête.

— Une belle petite bête. À vendre, n'est-ce pas ?

Pampi, la gorge serrée, opine à nouveau. M. Bordegaray s'approche avec Manech.

— Mon cheval vous intéresse ?

— Oui. Je suis directeur d'un cirque et chez nous tous les enfants raffolent des chevaux. Ce sont les numéros les plus appréciés. Je suis tchèque, de Prague.

Il sourit, et flatte de la main Poïta.

— Elle apprendra vite le métier. Votre gamin l'a déjà bien préparée.

Pampili ne peut prononcer un mot. Mais il lève un regard implorant et celui qu'il rencontre est compréhensif.

— Un cheval de cirque n'est pas malheureux, tu sais. Le cirque ne voyage qu'une partie de l'année ; le reste du temps les animaux sont lâchés dans un très vaste domaine, boisé et accidenté. Ils sont traités avec douceur, la brutalité ne mène à rien et nous aimons les bêtes qui travaillent avec nous.

Pampili demeure muet. Que dire ? « Mais moi, moi, je l'aime ! » Impossible, ça ne sort pas.

— Je te comprends, poursuit l'homme, même si tu n'ouvres pas la bouche. Tu as de la

peine, n'est-ce pas ? Essaie de penser à tous les enfants à qui ta petite pouliche va procurer du bonheur.

C'est vrai. Des milliers d'enfants vont applaudir Poïta, la fêter. Pampili esquisse un sourire.

— Savez-vous, reprend l'étranger, que j'ai déjà eu un pottok ! Je l'avais acheté à Hélette...

— Chez nous ! interrompt fièrement Manech.

— Ah, vous venez d'Hélette ? Eh bien alors, je crois que mon histoire vous intéressera. Venez, entrons au café.

# 22

## Galopades autour du monde

M. Bordegaray n'a pas refusé l'invitation. On confie Poïta à un voisin et les garçons suivent les hommes dans l'immense salle pleine à craquer.

— Deux Izarra et deux Pschitt-citron, commande le père avec autorité.

Manech a trouvé un coin de table et leur fait signe. Tous les quatre s'installent devant leurs consommations.

— Mon histoire est invraisemblable. Et pourtant elle est vraie ! commence l'étranger.

« C'était la morte-saison, le temps où nous pouvons prendre des vacances pendant que les bêtes se reposent et vivent librement dans le domaine.

« Je n'aime pas la ville. Nous faisions cette année-là une grande tournée en Russie et j'avais très envie de mieux connaître la Mongolie.

« Pour voyager en Mongolie et lier amitié avec les Mongols, le mieux est d'adopter leur mode de vie. Ce sont des nomades ; ils passent une grande partie de leur existence à cheval, poussant leurs troupeaux dans l'immense steppe.

« Ce n'était pas pour m'effrayer...

— Moi non plus ! murmure Pampili (son imagination l'emporte déjà dans la steppe).

L'étranger sourit et continue :

— Je choisis donc mon cheval favori et c'était... devinez ?

— Le pottok de chez nous ! s'écrie Manech en frappant dans ses mains.

— Eh oui ! le pottok basque, mon plus petit cheval, mais aussi le plus robuste et le plus habitué à la vie nomade de plein air.

« Je prépare mon bagage : une toile de tente, un duvet, des aliments concentrés. Nous allons par le train jusqu'à Oulan-Bator et ensuite nous empruntons la piste.

« Tout se passe bien. Je faisais de longues chevauchées solitaires, je n'étais pas pressé. Nous nous suffisions très bien, tous les deux...

— Je comprends ça ! dit Pampili.

— Nous nous suffisions dans le silence de la steppe, après les tournées de travail dans les villes. Nous n'avions pas encore rencontré les nomades.

« Une nuit, j'avais monté ma petite tente comme d'habitude et entravé mon cheval qui broutait dehors, lorsque j'entendis un hennissement très doux, puis un autre. On aurait dit que mon cheval m'appelait.

« Je sortis de la tente et je crus rêver. Il y avait là, devant moi, non plus un pottok mais six !

« Je me frottai les yeux, les fermai, les rouvris. Les six pottoks étaient toujours là.

« Mais quand je tentai un geste vers l'un d'eux, il me décocha une ruade qui m'envoya à terre. Quand je me remis debout, ils étaient tous partis. Oui, tous, même le mien ! Un bout de longe rongé me disait que je n'avais pas été la proie d'un rêve.

« Je n'avais plus qu'à prendre mon bagage et marcher, en espérant tomber sur un campement de nomades. Ce ne fut pas facile et je poussai un cri de joie lorsque j'aperçus enfin une yourte. J'étais sauvé.

« Les Mongols m'accueillirent comme si j'étais leur frère ; comprenant ma mésaventure, ils m'offrirent aussitôt une nouvelle monture. Et je pus observer de près les chevaux de ces hommes, qu'ils appellent tarpans. Ils ressemblent extraordinairement à vos pottoks.

« Le mien avait donc simplement retrouvé ses cousins et les avait suivis. Mais ils étaient tout à fait sauvages et je ne les ai jamais revus.

« Voilà pourquoi je suis revenu aujourd'hui en Pays basque.

« Je pense, voyez-vous, que, dans des temps très reculés, vos pottoks sont arrivés d'Asie, à travers les grandes steppes qui s'étendaient au sud de la Russie.

— Comme Gengis Khan et la Horde d'or, interrompt Manech, je l'ai appris en classe.

— Oui, mais des siècles et des siècles avant, puisque les hommes de la préhistoire avaient déjà dessiné le portrait de vos chevaux dans des grottes.

« On ne sait pas... En Amérique ce sont les Espagnols et les Portugais qui ont apporté les premiers chevaux, sur leurs caravelles. Là-bas on les appelle des mustangs.

— Les Basques aussi sont peut-être origi-
naires d'Asie, suggère Manech.

— Si tu allais en Mongolie, tu rencontrerais
peut-être, toi aussi, des petits cousins sous les
yourtes.

— En Amérique, en tout cas, je sais que
j'en trouverais puisque j'en ai ! dit Pampili. Ils
nous ont rendu visite cet été.

Les deux garçons ont écouté avec passion la
belle histoire et envient Poïta, qui connaîtra
peut-être de telles aventures.


On revint vers elle et les deux hommes
conclurent rapidement l'affaire. Il valait mieux
brusquer les adieux. Les garçons accompa-
gnèrent la pouliche jusqu'au van de l'acheteur.

— Je reviendrai l'an prochain lui chercher
un mari, dit leur nouvel ami. Je vous charge de
le choisir.

Tout joyeux à cette idée, les garçons pous-
sèrent un sonore irrintzina, auquel Poïta fit
écho par un long hennissement.

— Mais vous parlez la même langue ! Les
chevaux auraient-ils inventé le basque ?
demanda le Tchèque en souriant.

Le camion s'ébranlait. Le vieux chant des
émigrés monta aux lèvres des garçons :

« *Adios, ene maïtia* »... *Adieu, ma bien-aimée*...

Poïta avait disparu.

Elle allait, dans les rêves de Pampili, rejoindre la foulée des chevaux libres de la terre : diables roux de Lascaux, tarpans, pottoks, mustangs, qui poursuivent sans fin, crinière au vent, leurs galopades autour du monde.

# Table des matières

ACHEVÉ D'IMPRIMER EN NOVEMBRE 1995
SUR LES PRESSES DE L'IMPRIMERIE HÉRISSEY
POUR LE COMPTE DE FRANCE LOISIRS
123, BOULEVARD DE GRENELLE, PARIS

Dépôt légal : novembre 1995
Nº d'imprimeur : 70897 - Nº d'éditeur : 26206
*Imprimé en France*